O Cisne e o Aviador

HELIETE VAITSMAN

O Cisne e o Aviador

Rocco

Os que esquecem o passado se condenam a revivê-lo.
Georges Santayana

Recebe com simplicidade tudo o que te acontece.
Rashi

Primeira Parte

1

Conheci o Aviador em um dia nublado, músculos saltando da camisa branca, nessa mesma Lagoa Rodrigo de Freitas cujo espelho-d'água, hoje tão diminuído, ainda me encanta os olhos. Os pedalinhos brancos, cabeças de cisne, são diferentes daqueles construídos pelo Aviador e mal os vislumbro desse oitavo andar cercado de montanhas.

Faz 72 anos desde que desembarquei no Cais do Porto do Rio de Janeiro. Setenta e dois anos sem jamais ter regressado à Alemanha, jamais ter voltado a ler ou a escrever na língua amada sobre todas as outras, a língua que não absolvi dos ultrajes cometidos. Ressentimento? Teimosia? Ao separar – definitivamente, eu achava – o antes e o depois, construí um espaço no qual me instalei como raiz. E se enfim olho para trás, sem medo de virar estátua de sal, é porque o depois já não importa, e os cisnes de Berlim, os verdadeiros, silenciosos, alvos de fazer a vista doer, bicam meus pés e me arrepiam a pele. Mais íntima que qualquer sentido, a pele. Entranhas, rugas, calosidades, marcas, odores, camadas das quais o Aviador custou a se desgrudar nas noites turbulentas, aquelas em que outra vida espreitava para se impor à rotina dos dias. Dias em que ao despertar eu apertava na face – bem presos, que ninguém se arriscasse a soltá-los – os parafusos da máscara com a qual trafegava pelas rotas arriscadas da mente.

O Aviador. Não o esqueci, não vou esquecê-lo – mas ninguém soube disso até agora.

. 2 .

Brígida sempre foi *meine lieber*, ou minha querida. A neta mais jovem de Frida, a única menina. A mais morena, a desorganizada, a que arrancava os laços de fita dos cabelos, chorava se alguém lhe fizesse tranças, amassava os vestidinhos engomados, e que agora passa noites em claro e dorme durante as manhãs – ninguém melhor para receber o legado incômodo. Quem mais, nessa família tão composta, admitiria a existência de tantas zonas esfumaçadas?

Serão verdadeiras essas memórias desfiadas em minúcias? E se o tempo tiver embaralhado rostos, fatos e nomes? O lugar-comum da demência não tocou a mulher de 90 anos que retira meia dúzia de folhas de papel fino da pasta de cartolina azul. Nunca fui obsessiva, murmura Frida ao espalhar décadas de vida sobre a mesa. Os protestantes é que escrevem diários meticulosos, dispostos a infindáveis exames de consciência; eu preferi os apontamentos. Você não vai me condenar por eles, vai? – pergunta ao abrir o caderno amarelado, na capa um mapa do Brasil, de onde se descolam recortes de jornais, anúncios, cartões de visita, convites de formatura, cópias de poemas, até faturas de lojas.

Nenhuma pétala de rosa seca cai do caderno. Nenhuma fita de tafetá envolve as cartas. É na fala que jorra a torrente que a neta gostaria de catalogar, classificar e arrolar como documento comprobatório, ainda que

Frida nada pretenda provar; obedece apenas ao imperativo da transmissão, antes que o fôlego diminua e a voz se cale.

Então que assim seja, resmunga Brígida depois do café forte, o terceiro dessa tarde de domingo em que a avó palmilha o tardio caminho da cura pela fala. *Meine lieber*, nomeada na língua que Frida quis exilar, a escolhida para juntar os pedaços.

O Aviador chamou minha atenção logo que o vi a primeira vez, conta Frida a Brígida, muito antes dos falsos cisnes, dos edifícios espelhados e dos vendedores de água de coco, antes das bicicletas e da ausência dos nadadores. Na minha hora de folga diária, depois do almoço, a hora abafada, se o verão não estava no auge eu caminhava pela orla deserta, e às vezes me sentava num tronco caído com um livro na mão. Não baixava os olhos ao passar por aquele homem maduro que ao me ver ajeitava os óculos de lentes espessas e interrompia o que estivesse fazendo – era o tipo de pessoa sempre em ação, manejando ferramentas, empurrando um bote para a água, ensinando algum movimento aos filhos. Fazia dez anos que eu estava no Rio quando, no dia seguinte a uma tempestade, dia de nuvens espessas, tropecei numa raiz de árvore – um jequitibá-vermelho, gigantesco – e ele correu para me ajudar. Levantei devagar, os joelhos ralados, um fio de sangue saindo do cotovelo. Não fiz de propósito, nem pense nisso. As poesias de Rilke em edição portuguesa voaram longe e ele as estendeu para mim antes de trocarmos as primeiras palavras.

Aos poucos nos aproximamos, macho e fêmea iguais desde que o mundo é mundo. A faísca, você sabe. Por que nos percorre ou nos ignora, nunca descobri. Ele tinha chegado pouco depois da guerra, contou, e construíra uma dúzia de pedalinhos que eram utilizados em passeios por adultos e crianças. Eu era uma mulher madura aos 27 anos, dona do meu nariz, jovem o suficiente para me arrepiar, não tão jovem para desconhecer que a felicidade se encontra na harmonia da razão e na paz de espírito, oferendas que alguém tão mais velho poderia propiciar. Ainda que trabalhasse seis dias por semana, eu me sentia livre, era uma berlinense, afinal, as noites e os domingos me pertenciam, e também a hora arrastada em que todos descansavam.

Nunca tinha me apaixonado de verdade, nunca tinha imaginado compartilhar minha vida com um homem, e por um breve tempo não me furtei à imaginação. Diante dele, ao longo dos dias, seguidos de suas noites, esqueci provisoriamente o passado e olhei o avesso do mundo. Do meu mundo, letrado e contido. Ele erguia a cabeça e dizia que ia chover à noite, porque o vento sul trazia as nuvens que nomeava. Era capaz de apontar todos os pontos de um globo terrestre, promontórios, baías, escarpas, e foi assim que me mostrou de onde vinha, segurando-me o braço com a mão direita cheirando a graxa.

Talvez não tenha passado de fantasia. Mas o que lembro é concreto – toques, palavras, histórias. Como se o mundo fosse feito de certezas e o futuro pudesse ser ignorado. Não precisamos buscar o sofrimento, ele nos encontra. Hoje vocês têm psicólogos para explicar tudo, naquela época a gente precisava contar com a própria consciência para decifrar as emoções. Para mim, a presença dele era um intervalo; por mais amenos que fossem os trópicos, forasteiros como nós precisávamos caminhar em linha reta se quiséssemos ser aceitos.

Tinha sido piloto militar famoso em seu pequeno país invadido por russos e alemães, me contou, os olhos azuis perdendo-se nas curvas das montanhas, Dois Irmãos, Pedra da Gávea, a beleza intocada. Rosto aceso ao desfiar um rosário de nomes exóticos, travessias oceânicas, desertos africanos, ilhas asiáticas, omitia memórias de guerra. Não ostentava cicatrizes nem mencionava feridas, não estivera em combate, retirara-se para uma propriedade rural que teria prosperado se os tempos fossem de paz. Por que viera, então? Apenas uma vez fiz a pergunta. Não em busca de glória, disse ele. Que os mortos fiquem entre os mortos e não invadam o reino dos vivos – era meu lema silencioso naquela época, parecia ser o dele.

Apenas dois anos depois de ter chegado, já era louvado como empreendedor – "PILOTO EUROPEU TRAZ NOVOS FLUTUANTES PARA OS CARIOCAS", dizia uma revista semanal – e herói – "LUTOU CONTRA OS COMUNISTAS E FOI PERSEGUIDO!" Estufava o peito ao mostrar o álbum de recortes, os pedalinhos que montara (pensava em dar-lhes nomes além de números) e o hidroavião, seu orgulho. Era preciso acostumar o povo da cidade a admirar do alto as suas paisagens. Tanta beleza a aproveitar se formos empreendedores! Em breve os casais estariam fazendo brindes à luz de velas sob o céu estrelado, num restaurante flutuante que, como os dos rios europeus, atravessaria a Lagoa.

Não mostrou surpresa ao tomar conhecimento de minha origem, também não fez perguntas, esperou que eu contasse. Contei pouco e continuei, meses a fio, a reduzir a velocidade dos meus passos toda vez que o via próximo aos barquinhos, na hora sem clientes, desertas as margens ainda selvagens da Lagoa. Só gringos como nós achavam que caminhar era um exercício, e eu, eterna caminhante, aproveitava a solidão.

À medida que trocávamos novas palavras, tateando na língua cheia de vogais – sem sinônimos para neve, eu brincava, nunca mais sentiremos frio –, ele conferia com o olhar a moça ágil na sua frente e me estendia os remos de um caiaque que eu conduzia, sozinha, sobre as águas mansas da Lagoa de fundo lodoso, tão distinta do querido Tiergarten, meu parque enfeitado por faias e monumentos em meio aos gramados – organizados, geométricos – onde tantas vezes papai abriu diante de nós a toalha xadrez de piquenique.

Não podia prever, o ás da aviação, que as pessoas se desdizem. Antes que o mundo virasse do avesso, teve tempo de me observar como ninguém fizera. Uma tarde, entramos no barracão onde guardava ferramentas; a ponta dos dedos passou rapidamente por meus cabelos, e me arrepiei da ponta dos pés ao último fio de cabelo. Perrrfil camafeo – declarou com seu sotaque carregado, a voz baixa, inquieto, e lastimei que fosse refém da mulher e dos filhos que trabalhavam com ele no cais dos pedalinhos. A moça ágil que eu era ainda não sabia que na vida só somos reféns de nós mesmos e da nossa covardia.

O belo perfil não me teria servido, reagi, eu teria virado pó como os outros se estivesse lá – cabelos de cinzas no lugar de cachos dourados de ariana. O Aviador engoliu a frase com uma careta. Pouco pródigo em aquiescências, tampouco fazia exigências, quem agia era eu, meus passos é que se aproximavam dele e do barracão de madeira, nos espaços deixados pela vida real. Os alemães têm fama de racionais, meu bem, mas a racionalidade é só uma camada sobre um romantismo delirante. A língua da ordem criminosa confunde quem não nos conhece. À berlinense antes tão cheia de si, obrigada a baixar os olhos para sobreviver na mansão, convinha a exaltação. Pudesse o destino colocar no meu caminho gente determinada a sorver o melhor do novo mundo. Bastava-me um passado, o meu, não quis me defrontar com o dele.

Isso aconteceu antes que os relatos sobre ele me deixassem perplexa, primeiro; insone, depois. Quando tudo se precipitou e o Aviador foi banido da Lagoa, condenado pelos mesmos entusiastas que haviam proclamado seu futuro radiante de "exímio construtor naval" e "precursor da urbanização", foi com um suspiro de decepção que apressei o começo da minha segunda vida. Devia odiá-lo, não o odiei, mea-culpa. Não me olhe decepcionada você também, Brígida, o que podia fazer?

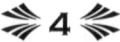

Até o outono de 1937, papai e titio – viúvo sem filhos que vivia conosco em Berlim – mantinham a esperança de que Hitler não duraria no poder. O povo alemão não se deixará contaminar pela falta de razão, Frida, repetia papai. Como alguém chegado da Áustria pode fazer o que bem entender com os militares? Não somos asiáticos donos de crenças obtusas, nem lerdos europeus do sul, não somos selvagens. Baderneiros se tornarem respeitáveis? Não aqui, nunca, daqui a pouco ele vai nos deixar em paz.

Raça não era assunto tratado à mesa. Religião muito menos – desígnios divinos nos eram estranhos e nossa pequena família mantinha apenas um rito: a visita anual ao cemitério judaico, no aniversário da morte de mamãe, para lamentar a ausência que deixara, a mim e a minha irmã Helga, aos cuidados daqueles dois homens grandalhões, tolerantes, sem tempo para as miudezas domésticas, papai com seus clientes no consultório e no hospital, titio o dia inteiro no grande armazém que pertencera a vovô. Parece difícil de acreditar, minha Brígida, mas sinto a falta de mamãe como se ainda ontem ela tivesse se inclinado para me passar o pente nos cabelos e me dar o beijo de boa-noite.

Aos domingos, os dois iam para a cozinha e faziam panquecas, que eu e Helga recheávamos de frutas ou geleia. Visitavam amigos, jogavam cartas conosco. No verão íamos ao parque, nadávamos, aprendíamos a remar, líamos romances. Stefan Zweig, papai adorava as biografias dele. Passávamos parte das férias em Merl an der Mosel, onde tia Ricka, irmã de mamãe, nos atava cordas aos pulsos quando entrávamos no rio, temendo a correnteza, sem ligar para nossos protestos. No inverno, papai nos levava ao teatro e ao balé. A voz rouca de cigarro soava na sala, à noite, pedindo que eu tocasse piano, *spiel, spiel*, toque, toque, minha filha, você interpreta com tanto sentimento, dizia, e em dez minutos caía no sono. Seus dias de trabalho eram longos, e as notas que saíam do Steinway eram para ele, mais que um intervalo estético, uma desculpa para tomar chá e deixar-se estar sossegado numa poltrona ao lado das filhas. Não que não gostasse de música. Gostava. Bach, Beethoven, Mozart. Quando mamãe vivia, tinham assinatura para os bons concertos, viajavam a Viena para ouvir os mestres. Mas isso foi antes do cansaço e da desesperança, na época em que mamãe encurtou os vestidos e cortou os cabelos. Vida breve, paz breve.

Nada aconteceu de repente, não houve um raio inesperado caindo sobre as nossas cabeças; tudo na Alemanha de Hitler era explicado de maneira muito civilizada. Pequenas proibições aqui, pequenas proibições ali, e a gente ia se adaptando, supondo que já havia restrições suficientes. Como imaginar que, depois de um anúncio assustador, novos anúncios viriam, até a vida se tornar impossível?

Um dia, papai, já coagido, como outros médicos judeus, a atender arianos sem cobrar, teve que fechar o consultório. Ficava na melhor sala do nosso apartamento de primeiro andar, o consultório que eu adorava arrumar, ajeitando os instrumentos sobre a mesa – seringas, estetoscópio, termômetro, cada coisa em seu lugar –, trancando na estante de vidro os venenos proibidos, o éter, levando chá para papai quando um cliente custava muito a se despedir. Poucos colegas o procuraram para lamentar o fato. Eu não queria manifestações públicas, só queria ouvir as vozes deles, desabafou. De um congresso médico em Wiesbaden, veio a notícia espantosa: Hitler, que tinha qualificado os judeus de bacilo da humanidade, foi saudado como "salvador da Alemanha", e quem não aplaudiu, calou-se.

Quando foi decretado o boicote a lojas de judeus, homens jovens saquearam o armazém de titio e pintaram a suástica na porta de ferro. Alguns ele conhecia de vista. Por não terem tocado nele, vizinhos o cumprimentaram por sua sorte.

No inverno de 1936, o diretor do Liceu Sophia me convocou ao seu gabinete, que ostentava um retrato de Hitler de um lado, um crucifixo do outro, para informar – os dedos gordos tamborilando sobre a mesa de madeira escura – que eu não podia continuar a estudar ali. Era a única remanescente entre os 18 judeus da minha turma de quarenta alunos, os demais tinham emigrado ou se retirado voluntariamente. Até então, todos, professores e colegas, tinham me tratado de igual para igual. Uma colega um dia me disse: Como você, que não é ariana, tem esses cabelos louros e esses olhos azuis, e eu, ariana há várias gerações, tenho cabelos e olhos pretos? Eu via nas ruas, nas revistas, a propaganda contra os judeus – narizes aduncos, rudes, avarentos, mãos em forma de garra, olhos saltados – e não me reconhecia. Aquelas pessoas nada tinham a ver comigo, com minha família berlinense.

As melhores amigas foram fiéis até o último dia. Nunca me viraram o rosto no pátio de recreio nem durante as aulas. Tínhamos nadado juntas, remado, ido às festinhas de aniversário. Depois, ninguém se arriscou a me visitar, ninguém me recebeu em casa, nunca mais trocamos confidências.

As mesmas lojas, avenidas, jardins ordenados, os mesmos ruídos e no entanto nada foi igual na volta do Liceu para casa. Entrei no parque, apesar do cartaz avisando que era proibida a presença de judeus, falsa ariana correndo em direção aos cisnes. Gostava de visitar um casal deles, acreditava na sua nobreza e fingia que me reconheciam, macho e fêmea sempre juntos, Hansl e Gretl, eu os chamava e eles me olhavam, mas nesse dia não os vi. Em meio ao gelo só enxerguei ninhos vazios. À procura de regiões mais amenas, meus amigos tinham migrado. Quero me jogar nesse lago, pensei, minha plumagem é inútil na terra.

Até aquele momento, eu talvez acreditasse num milagre, ainda que convivesse com a tristeza de papai e de titio, e com o desespero da minha irmã, impedida de começar a faculdade e prosseguir as aulas de balé. Uma judia não pode dançar

Romeu e Julieta. Vou me atirar do último andar, decidi ao colocar a mão na maçaneta do nosso prédio na Altenrose Strasse. Passei correndo pela placa de bronze da nossa porta, o nome do papai, Dr. Ludwig, em relevo, e subi dois lances de escada, até o apartamento de dona Hanna. Desatei no choro quando a mulher antes elegante, que agora abria a porta de camisola e chinelos, me deu um abraço apertado.

Logo que relatei meu encontro com o diretor de dedos gordos, que ainda no ano anterior me elogiara – eu a remadora esforçada, eu a nadadora com meia dúzia de medalhas, eu a aluna aplicada de latim e francês –, dona Hanna disse que, acima de tudo, era preciso resistir mentalmente a eles. Não acreditar nas frases feitas, não me sentir pior que ninguém. Não olhar as caricaturas na banca de jornais. Eles é que estão loucos, ou sempre foram loucos e só agora percebemos. Eu ia viver, e muito mais do que eles, ela me garantiu.

Viúva sem filhos, dona Hanna nos convidava uma vez por mês, a mim e a Helga, para tomar café com torta de chocolate na KaDeWe, a loja de departamentos da qual nos orgulhávamos, cinco andares de modernidade e tecnologia alemã ao nosso alcance. Depois de olhar tudo, sem comprar, sentávamos. Ela continuou a nos convidar até o fim; embora assustada, saboreava os registros visíveis e invisíveis da cidade que amava, voltava à sua Berlim Vermelha engalanada pelas bandeiras de foice e martelo e que custou a ser calada pelos nazistas. Hitler subiu em 1933, mas tomava cuidado na capital: o que acontecia ali chamava a atenção do mundo, e se nas cidades pequenas prendiam famílias inteiras, em Berlim ainda estávamos relativamente seguros.

Depois que a universidade onde dona Hanna dava aulas de literatura foi "nacionalizada", os livros e a máquina de escrever dela foram confiscados. Homens jovens bateram na porta, entraram, revistaram tudo, levaram o que quiseram. Quando um judeu escreve em alemão, mente, lhe dissera o diretor de seu departamento, suástica no peito, ao entregar-lhe uma folha de papel onde se lia, entre outras coisas, que os judeus estavam, a partir daquele momento, proibidos de interpretar Schiller, montar peças dele, sequer lê-lo. Como se eu não fosse alemã, indignou-se ela, e o outro virou as costas.

Um dia, ouvi-a falar com papai sobre a conveniência de os judeus emigrarem para a Palestina. A voz era a dela, mas aguçava-se, parecia sair de uma marionete. Nunca apreciara as ideias de Theodor Herzl, nunca fora sionista, porém abandonar a Alemanha era uma medida sensata, dizia, e não havia mais cotas para a América; sentia-se velha demais, mas nós duas, quem sabe? Havia gente jovem arrebanhando desbravadores para fazer o deserto florir. Papai riu diante de ideia tão estapafúrdia. Sionismo agrícola, árabes, camelos, quimeras austríacas, nem pensar.

Os dois irmãos, donos de medalhas da Grande Guerra, tinham os pés bem fincados no chão conhecido. Não existia Terra Prometida para eles. Que delitos haviam cometido para fugir da pátria? Quem age como os valentões bêbados que gritam *Heil Hitler* é que denigre nossa alma germânica. Somos mais alemães do que os brutos hipnotizados por discursos nervosos. E há muito tempo. Nossa família não chegara agora do leste, não podem nos comparar aos poloneses e romenos despachados de volta para suas aldeias miseráveis.

Percorrer à vontade as ruas da sua querida Berlim, a pé ou de bicicleta, entrar como cidadão onde bem lhe aprouvesse, tinha sido para papai um atributo tão natural – um gozo – como o uso de pernas ou braços. Reconhecia pelo tato o calçamento, farejava como seus cada degrau, tabuleta, esquina e café. *Untermensch?* – a palavra não se encaixava, ele não podia considerar-se subumano. Mesmo antes da obrigatoriedade do uso da estrela amarela, porém, havia quem desviasse a vista diante dele – um conhecido trocar de calçada à sua aproximação o deixava fora de si. Tenho por acaso uma marca na testa? Serei obrigado a viajar em torno do meu quarto?, perguntava.

Eu e Helga, a pele muito clara, a postura ereta, continuamos a ir ao cinema e ao parque, a trocar olhares com os rapazes, a palmilhar a Ku'damm – nossa grande avenida, mais bela que os Champs-Élysées dos franceses – como se tudo ali, árvores, lojas, hotéis, restaurantes, ainda nos pertencesse de alguma forma. Um prazer incompleto, pois podia aparecer um vizinho maldoso e denunciar como judias as duas moças que se fingiam de arianas, o que nunca ocorreu, graças a Deus.

Passamos um último fim de semana em Budapeste, papai, titio, eu e Helga, numa pensão pequena. A derradeira fotografia da família é essa, primavera de 1937. Parecemos muito alegres, adorávamos viajar de trem e usufruíamos cada minuto, mas a pergunta "Até quando?" nos perseguia, e foi num estado de euforia nervosa que embarcamos.

Por onde andam os cisnes brancos? – a ausência me inquietou quando não os vislumbrei do bonde que nos conduziu ao longo do Danúbio até a pensão. O mundo nada tinha de fixo. Por que voaram tão cedo? – papai deu de ombros diante da indagação e a jovem exasperada que eu era declarou, naquele instante, que detestava o nome com o qual fora registrada. Frida, Frida, Frida, não gosto do meu nome, afirmei. Eu queria ter sido batizada de Odete, papai, Odete, a rainha dos cisnes, a que se salva do feitiço e da prisão ao corpo que não é seu. Não fale assim, minha filha, jamais tenha vergonha de quem você é, é como Frida que vai se salvar, ele disse antes de apontar um ponto qualquer da paisagem para encerrar o assunto.

Economias minguando, os dois irmãos se fecharam sobre si mesmos depois dessa pequena viagem. Horas diante do tabuleiro de xadrez, presos ao jogo que antes pouco os divertia. Helga e eu raramente nos sentávamos ao piano, ela bordava para se distrair, ou ouvia discos, eu nem isso, chorava e lia, lia e chorava. O jardim de espinhos não vai durar para sempre, papai às vezes dizia para nos animar, semblante desmentindo as palavras. Mal falavam na hora do jantar, ele e titio, e comiam pouco, deixando as melhores porções para nós, os quatro nos revezando na cozinha depois da partida da empregada, proibida de trabalhar para judeus.

Um primo se convertera e tentara convencer os dois a fazerem o mesmo. Por que não?, perguntei-lhes na nossa última noite de Natal, enquanto víamos pela janela, do outro lado da rua, os arianos se aprontando para a ceia na sala iluminada. Naquele dezembro, não enfeitamos o pinheiro com os símbolos tradicionais caros à alma germânica, como fizéramos desde crianças. Papai fechou as cortinas para ocultar o burburinho da rua, as pessoas carregando pacotes iguais aos que um dia tínhamos carregado, laços vermelhos, papéis dourados, a alegria pelo nascimento do Salvador. Por que sim?, perguntou de volta. As leis são claras, o batismo não vai servir de nada, é judeu qualquer indivíduo com três avós judeus, completou titio, citando em seguida, pela primeira e última vez na sua vida de comerciante pouco interessado em História, os cristãos-novos queimados pela Inquisição na Península Ibérica. Minha irmã começou a chorar, eu a acompanhei: o pavor estendeu-se finalmente sobre nós, palpável, visguento, garra de ferro selando corpos e lábios. Para os nazistas, a conversão à fé cristã não limpava o sangue impuro.

Uma noite chuvosa, papai recebeu a visita de um homem idoso que, apressado, sequer tirou as galochas ao entrar no vestíbulo, deixando ao sair um rastro molhado. Conversaram de pé e na manhã seguinte papai avisou que nós duas iríamos passar uma temporada com os Muritz, casal de amigos radicados em Paris, até que as coisas se acalmassem, até que de novo pudéssemos circular sem medo, frequentar o liceu, o conservatório e a escola de balé. A Noite dos Cristais, em 9 de novembro de 1938, mostraria o equívoco das expectativas. Cacos de vidro de milhares de lojas depredadas pelos nazistas cobriram as ruas da Alemanha, apartamentos foram invadidos, os móveis jogados pelas janelas, os homens surrados e presos diante das famílias em pânico.

Assustadas, chorosas, não tivemos tempo para preparativos. Fizemos as malas e partimos em 48 horas, levando conosco poucas joias e algum dinheiro em bolsos costurados dentro das roupas. Dona Hanna, a única a compartilhar o segredo da partida, desceu com um bolo de chocolate e nos presenteou com seus camafeus de concha, lindos, delicados, mas não pude me despedir do amigo uniformizado do outro lado da rua – estava de serviço em algum lugar, o rapaz de corpo de ginasta e cabelos louros que me dava as barras de chocolate a que só os arianos tinham direito. Se ele sentiu minha ausência, ou se sobreviveu à guerra, não sei. De dona Hanna, recebemos cartas enquanto lhe foi possível escrever. Seu último cartão-postal, enviado ao Brasil por meio da Cruz Vermelha, em setembro de 1943, foi desanimado. "Espero que vocês estejam bem. Espero continuar a escrever. Lembranças da Tia Theresa."

Não tínhamos tia com esse nome: ela estava no campo de Theresienstadt, de onde a arrancaram para a morte em Auschwitz.

Viajamos uma semana antes do fatídico 5 de outubro, 1938, meu aniversário de 17 anos, data em que o Ministério da Justiça do Reich determinou que os passaportes de judeus-alemães se tornariam inválidos. Em duas semanas, todos, sem exceção, deviam devolvê-los às autoridades, que os remarcariam com o carimbo "Judeu". Os que não cumprissem a ordem seriam presos e pagariam multa de 150 marcos. Os judeus obedeceram, e não por serem judeus: nada é tão alemão quanto seguir instruções ao pé da letra.

Descemos do trem em Paris ansiosas, passando batom nos lábios e ajeitando os pequenos chapéus de feltro. Outros jovens judeus também viajavam e ninguém parecia lamentar-se – o instinto de sobrevivência superando o temor. Não tardaríamos a conseguir autorização de trabalho, pensávamos. Eu e minha irmã falávamos francês, éramos espertas, o susto seria substituído por uma vida animada e produtiva. Faríamos o que fosse preciso para retribuir a hospitalidade, afirmamos quando fomos recebidas pelos Muritz, vamos dar aulas, trabalhar em lojas, nos sustentar até voltar para casa. Projeto que se mostrou inviável: competiam conosco milhares de refugiados de todas as idades, vindos dos mais distantes cantos da Europa, uns bem-vestidos, outros aos farrapos, todos se oferecendo para fazer o que fosse necessário para sobreviver. As portas fechadas acabaram por nos salvar.

Ernst, filho da tia Ricka, estudante de Direito impedido de continuar o curso em Berlim, estava em Paris, se preparava para embarcar para o Brasil, onde um amigo trabalhava numa empresa suíça. O que vocês esperam nesse Velho Mundo?, nos perguntava, enquanto pintava do país do futuro um quadro animador.

Já vivia no Rio de Janeiro, desde antes da Primeira Guerra, um irmão de mamãe, que papai não conhecia, e que se dispôs a nos ajudar. O casal Muritz se dividia. A mulher torcia as mãos; o marido aconselhava-nos a partir, os judeus estavam cada vez mais acuados na Europa e as ideias racistas não eram estranhas à *douce France*. Nossa decisão não demorou. Escrevemos para casa: precisamos urgentemente de dinheiro, precisamos ir ao Brasil. Há oportunidades lá para nós.

Não foi fácil convencer papai – o que seria de suas filhas naquele fim de mundo? Mensagens foram, mensagens vieram. Um casal conhecido havia emigrado para a Argentina, e clientes antigos haviam se instalado na América – a do Norte, bem entendido. Mas suas meninas de pele tão alva, tão educadas, que tocavam piano e falavam três línguas, o que fariam entre matagais e cobras? O primo não desanimou, contudo. O irmão mais velho de mamãe oferecia a necessária carta de chamada para nossa entrada. Eu e Helga íamos ser bem recebidas por ele e os três filhos, brasileiros legítimos, tudo ia dar certo. Ninguém vai viver no campo, não sou agricultor, escreveu a papai. Tenho um pequeno negócio, e sobrevivo sem queixas, muitos de nós ficamos ricos aqui. Venha você também, não se sinta velho. É uma cidade grande, a capital, onde há casas bancárias, ruas de comércio, teatros, cafés, até mesmo uma universidade.

Vai ser fácil arranjar trabalho, e se for preciso também tenho bons contatos em São Paulo, cidade de imigrantes que vivem em completa liberdade, reforçou Ernst em sua primeira carta com selos brasileiros. Venham, venham, venham logo, dizia, sem economizar na euforia, consegui colocação num escritório de representação de produtos ópticos, a comida é farta e barata e ninguém me pergunta se sou judeu. Aliás, ninguém me pergunta nada, acreditem. Ando de um lado para outro sem que me parem na rua para pedir documentos. Não existem leis contra nós, e aos domingos toma-se banho de mar em praias de águas mansas.

Conseguir os vistos foi mais demorado do que prevíramos. Eu não sabia então que Circulares Secretas do Itamaraty determinavam que as missões diplomáticas evitassem conceder vistos às "levas de semitas" que buscavam o Brasil. Nunca descobrimos como papai conseguiu nos enviar mais dinheiro, ou se foi o casal Muritz que completou a quantia necessária para comprarmos as passagens. O derradeiro pacote recebido de Berlim foi o Atlas – *Deutschland und die Welt* – que devíamos, como boas alemãs que éramos, manter à mão e consultar na viagem, mas o perdemos no fundo da mala. Não vou mentir dizendo que chorávamos ao partir. Na última noite europeia, sonhei que dançava com mamãe sobre seu túmulo, e de repente saía correndo, com medo de ser esmagada pela lápide de mármore. Corra, minha filha, corra, mamãe gritava quando minha irmã me sacudiu.

Quem olha para trás vira estátua de sal.

Papai e titio permaneceram em Berlim até 28 de novembro de 1941, quando foram enviados de trem para a Letônia. A logística do transporte, vagões superlotados cruzando a Europa com pessoas que desconheciam seu destino, encobria uma disposição tétrica. Os judeus acreditavam que seriam reassentados e levavam bagagem. Papai e titio já tinham sido despojados de quase tudo, rádios, estetoscópio, livros, e deixado nosso apartamento para uma família ariana, passando a dividir um quarto num sobrado superlotado, de onde por dois anos saíram todas as manhãs para trabalhar numa fábrica de munições. Eu e Helga soubemos do final deles pouco depois do fim da guerra, quando Albert, um amigo de Berlim, escreveu de Chicago.

Minhas queridas Frida e Helga,

É com alegria que escrevo por saber que vocês estão em segurança, mas também com pesar para contar um pouco do que aconteceu. Tudo parece ter ocorrido em outra vida. Lembram como eu era um bom esgrimista? Foi o que me salvou, a destreza, quebrei pedras e pavimentei estradas perto de Riga por dois anos, até ser libertado por soldados russos.
Seu pai e seu tio, que suas almas descansem, estavam num dos primeiros transportes ordenados por Hitler. Praticamente todos os mil passageiros daquele trem, alemães e austríacos, atravessaram meia Europa para serem mortos na Letônia ao amanhecer de 30 de novembro, um domingo, na floresta de Rumbula. Depois deles, chegaram à floresta os letões do gueto, e também foram assassinados.
Fiz com meu pai o mesmo trajeto, dois meses mais tarde, e só eu escapei vivo. Que sua alma descanse em paz. Por ora, não conto mais. Fiz questão de escrever prontamente para

informar a data, assim vocês podem acender as velas no aniversário da morte deles.

Sou sempre o seu, Albert.

Não conte mais, Albert, desapareça. Vou acender as velas uma vez por ano, e acho que Helga vai fazer a mesma coisa, e até vai rezar. Mas nos outros 364 dias não quero revolver as feridas. Tudo o que quero é sair do passado.

Soldado condecorado, médico conceituado, papai teria podido subornar, resistir, esquivar-se, mentir, corromper, fazer das tripas coração para buscar a sobrevivência? Até hoje me perturba o pensamento de que ele e titio podiam ter fugido – afinal, os sábios do Talmude ensinam que o ser humano tem direito a salvar-se por qualquer meio, exceto o incesto, a idolatria e o assassinato. E que meios empregaram os dois irmãos? Ou, ignorantes do Talmude, alemães até a medula, salvaram as moças e escolheram para si mesmos a obediência a todas as diretrizes?

Chapeuzinhos de feltro, roupas clássicas, sapatos de verniz, casacos de pele, luvas de pelica, os últimos brincos de pérolas, éramos olhadas no navio de imigrantes como se fôssemos beldades. Admiração, tivemos de sobra; solidariedade e afeto, não recebemos nem dispensamos, um círculo invisível nos isolando dos outros passageiros, aqueles que forjavam laços perpétuos na travessia do oceano. Na terceira classe imunda, com medo de ficarmos doentes, o cheiro de azedo tomando conta de tudo, o mofo nos fazendo tossir, Helga e eu dormíamos de pura exaustão e acordávamos ao som de mulheres descabeladas que cantavam em ídiche para os filhos. Com febre, cabeça estourando, embalávamos uma à outra sem coragem de levantar.

Não fizemos amizades naqueles dias de mar. Ainda que nossos recursos fossem escassos, não vínhamos da miséria das cidadezinhas da Rússia, da Polônia, da Romênia. Deixáramos para trás piano, edredons macios, travesseiros de penas, porcelana fina. E uma biblioteca que devia ser legada para as gerações seguintes, com livros de arte e alguns impressos em gótico, destaques na estante, como o volume ilustrado sobre as perseguições na Primeira Cruzada, que papai abria para explicar que tais abominações tinham ficado no passado, nas trevas da humanidade.

Até que Helga me despertou uma manhã, Frida, Frida, Frida, vem ver, quanta luz, nunca vi nada igual, é o Rio de Janeiro. Mar e montanha, curvas que deixavam atônitos os que chegavam de vinte graus negativos. Ao nos aproximarmos do cais, a sensação produzida pela baía de nome impronunciável e pela explosão de azul e dourado foi acompanhada por espanto. Homens de chapéu e terno branco, secando o suor com lenços enormes, senhoras com sombrinhas para se proteger do sol, crianças acenando, todos saudavam os recém-chegados em meio a uma pequena multidão de pretos descalços, de cabeça protegida por panos enrolados, músculos e dentes à vista, vendendo frutas ou dispostos a carregar malas e baús. Víramos negros na França, mas vestidos e calçados como todo mundo.

O primo nos tirou do Cais do Porto num táxi preto e levou-nos até um casarão próximo a um canal orlado de palmeiras. *Fräulein* Frida, *Fräulein* Helga, apresento-vos aos meus reais aposentos, declarou com uma mesura, escancarando a porta de um quarto. Três beliches enfileirados. Na cabeceira de cada cama, um número em papelão, estratagema para que a correspondência chegasse ao destinatário certo – a do primo era endereçada a *Herr* E. Weiss, Rua de Santana 40, quarto 2-D, Centro, Rio de Janeiro, Brasil. Ali o preço era baixo e a comida razoável, mas ele só estava nos esperando para se mudar – conosco – para uma pensão melhor, no bairro do Catete.

Depois de duas semanas hospedadas pelos tios, foi numa rua vizinha ao palácio do presidente da República que os três nos instalamos, eu e Helga num quarto, Ernst em outro. No casarão de três andares, corredores cobertos de azulejos portugueses em tons de azul, fomos acolhidos por dona Pérola, a proprietária, que subia e descia as escadas de aço em perpétua inspeção dos seus domínios. Aos domingos, fornecia seu famoso ajantarado, frango assado com batatas, ou cozido, mas raramente o aproveitávamos, convidados para o almoço da tia, que se encerrava com três ou quatro sobremesas.

No Catete comecei a aprender a língua em livros emprestados e a palmilhar as ruas sombreadas que desembocavam no mar. O céu me salvava, e não faltavam pássaros no caminho, trinados misturados aos ruídos e odores urbanos. À noite, as amendoeiras acrescentavam sombras às sombras, pois as lâmpadas fracas dos postes não davam conta de iluminar a cidade, e era numa trilha de mistério que eu me deleitava com a luz mortiça e o cheiro de comida que saía das casas. Não, nunca cruzei com o presidente, que, rezava a lenda, gostava de caminhar nos arredores depois do jantar. Se caminhava, conhecia a pobreza por trás das fachadas, a lama nos dias de chuva, a falta de água. Água, percebemos sem demora, era um tema que apaixonava jovens e velhos, pobres e remediados, motivo de intermináveis conversas. Mulheres passavam pelas ruas carregando latas para o morro. Nosso quarto tinha uma pequena pia, um luxo, porque do lado de fora o que havia era um banheiro e um chuveiro por andar, com fila na porta de manhã e à noite. Não fosse isso, a vida na pensão até seria agradável.

Minha irmã conseguiu emprego de balconista numa loja de tecidos das proximidades – as longas horas em pé, a fita métrica amarela pendurada no pescoço e as conversas aborrecidas com as freguesas deixaram tão frustrada a moça que sonhara ser bailarina que ela em pouco tempo aceitou a corte insistente e o pedido de casamento de um ourives austríaco promissor, a quem chamava de Senhor Hora Certa, tão pontual era, e com ele mergulhou numa existência sem sustos.

Uma existência sem sustos. Era o que eu também pretendia ao ser contratada, graças à indicação de um conhecido de Ernst, como professora de alemão, francês e piano da prole Prates de Souza. A guerra ia pela metade, março de 1942, e o governo brasileiro tinha acabado de romper relações com a Alemanha, o que produzira uma espécie de alívio entre os judeus. Eu já vinha dando aulas em casas abastadas – a preceptora errante – e me acostumara ao comedimento. Ao contrário de Helga, não pretendia me casar.

A família Prates chegara de Portugal em meados do século XIX e enriquecera no negócio do café. Fora recebida em palácio por Dom Pedro II e ainda enchia a boca ao falar do imperador bondoso e poliglota tão incapaz de fazer mal a uma mosca que não lhe tocaram num fio de cabelo ao derrubá-lo do trono, e despacharam-no para Paris. Não que ele tivesse sido feliz no exílio, me explicaram. Mesmo cercado de carinho, morreu triste, com saudades.

Os Prates se orgulhavam das obras de arte sacra e dos muitos bens: um palacete em Petrópolis, outro em São Paulo, uma fazenda nas montanhas das Minas Gerais. A joia da coroa – não por seu valor em dinheiro, mas por ser a mais adequada para grandes jantares, festas e recepções – era a mansão junto à Lagoa Rodrigo de Freitas.

Aos poucos, me tornei uma pessoa considerada de confiança, alguém com quem se podia conversar, a preceptora permanente e discreta, uma espécie de símbolo da importância que a família dava à educação. Nos salões espelhados da mansão – e no meu lugar favorito, a varanda com poltronas de vime – conheci políticos, diplomatas, militares, entre eles o contra-almirante cujo nome o Aviador certa vez disse querer dar à plataforma flutuante onde ergueria um restaurante. Como ninguém pensara num restaurante a singrar as águas da Lagoa, deliciando moradores e turistas? Era assim que se fazia nos rios da Europa. Uma noite, eu circulava quase à vontade, a alemã de loura cabeleira admirada pelas mulheres, quando madame Prates me apresentou ao contra-almirante, peito cheio de medalhas, que desandou a se festejar por ter sempre apoiado – sempre, senhorita, sempre – as mais variadas atividades náuticas na cidade.

Sendo o Rio de Janeiro o centro naval do país, era um absurdo que não usufruíssemos de esportes como o esqui aquático, a senhorita concorda? Falava para mim e para a rodinha que se formou para ouvi-lo. Tão difundido na Europa, tão popular entre os povos desenvolvidos, e agora introduzido aqui por uma família de imigrantes cujo chefe foi um herói, a senhorita o conhece, talvez, vai nos homenagear, e dará ao playground que pensa construir o nome da esposa do prefeito. A senhorita apreciava essa modalidade esportiva quando vivia lá? Não, prezado senhor, nunca transpus os lagos da minha terra nesse meio de transporte, eu gostaria de responder enquanto assentia com a cabeça.

Anos mais tarde, um presente divino eclipsaria as joias mundanas dos Prates. O patrão, um mão-aberta na hora de adquirir oratórios e estátuas de santos e patrocinar festejos religiosos, ganhou título de nobreza do papa. O casal embarcou para Roma, e a despedida no Cais do Porto foi uma festa; o retorno, uma festa ainda maior. Voltaram de peito inflado e com um baú de presentes. Os conhecidos deixaram de chamá-lo de comendador para chamá-lo de conde. Ah, senhor conde, como está bem-disposto hoje, que Deus o guarde. A esposa, dona Juju na intimidade, madame Prates nos chás beneficentes e nas festas, se tornou a condessa. Só não houve meio de fazer os empregados deixarem de chamá-la de dona. Chegou a costureira da dona condessa. Madame Gonçalves quer falar com a senhora, dona condessa! Alguém viu os óculos da dona condessa? Dona condessa foi lanchar com a comadre na cidade e vai se atrasar para o jantar.

Fui instalada desde o primeiro dia num quarto no térreo. Cama de madeira escura, mesinha de cabeceira, poltrona sob medida para um anão, cadeira de assento de palha, armário de espelho. A janela ampla, protegida por uma veneziana, se abria para o quintal com limoeiros, mangueiras e amendoeiras – árvores fartas espalhadas sem critério aparente, exibidas com gosto por madame Prates à estrangeira que chegava para lustrar as crianças. Quis contar-lhe das minhas árvores, dos jardins geométricos, das flores que deixara para trás, ensaiei meia dúzia de palavras. Ela me interrompeu com um sorriso, mudando de assunto. Minhas impressões não a interessavam; desde que eu fosse boa mestra e vivesse de acordo com as regras não escritas da casa, evitando o centro do palco, poderia ser feliz ali.

Só não me peça que ajoelhe, pensei.

Acordava cedo, tinha obrigações, mas não era uma criada. Em primeiro lugar, era branca. Os outros – os que cozinhavam, limpavam a sujeira de adultos e crianças, serviam à mesa, lavavam, engomavam, cerziam roupas, faziam as compras – tinham a tez escura, as mãos grossas, dormiam em quartinhos sobre a garagem nos fundos, acordavam ainda mais cedo, usavam uniformes e toucas para esconder os cabelos. No dia em que um fio da cozinheira apareceu no feijão, armou-se um escândalo, choro, gritos, ranger de dentes. Eu usava minhas próprias roupas, saias pretas ajustadas ao corpo, blusas brancas de gola bordada, casaquinhos leves, meias de seda que realçavam as pernas. Relógio de pulso, sempre. Comia com os mais jovens, na mesa da copa, ou na sala de jantar em dias festivos, os pratos que não eram provados na cozinha. Tinha minha sagrada hora de folga depois do almoço, as noites e os domingos livres, pequenos privilégios que no início me envergonharam. Depois, o inusitado se tornou habitual, o romantismo alemão fez uma mesura, adaptou-se.

Ah, os domingos. Nas primeiras vezes em que fui à praia, me jogava na água sem maiores cuidados, esperando ficar bronzeada como as mulheres que via nas ruas, decotadas, falantes, invejadas. Pouco tempo sob o sol e a pele avermelhava, inchava, descascava; rapidamente aprendi a besuntar o nariz e os lábios com uma pasta branca de cheiro forte que os primos também usavam. Antes cara de palhaço do que passar a noite sem dormir, ardida, falava a tia sob a barraca. Nunca usava maiô, a tia, que insistia em me casar, sugerindo fulano ou sicrano, mil vezes ficar para semente, titia, do que aturar um desses o resto da vida.

Melhor aturar a patroa, Frida? A tia perguntava com ironia, temia e desprezava uma madame Prates que nunca vira, e eu me arrependia de ter lhe contado o incidente ocorrido pouco depois da minha chegada. Uma tarde, ordenei a uma das crianças que buscasse na cozinha uma toalha para secar a água que derrubara na mesa. A paciência é uma virtude que prezamos, me disse a dona da casa, sem elevar a voz. Fez um gesto para que o menino não se movesse e tocou a campainha de prata, chamando uma empregada para limpar a pequena poça. O trabalho manual, mesmo leve – costurar um botão, passar um trapo no chão, lavar um prato ou fritar um ovo –, era uma humilhação, e gente paga varria os rastros do cotidiano. Gente que nunca entendi. Como poderia? Não sentavam em poltronas como as nossas – só bancos de madeira; não comiam com garfo e faca – colheres para o feijão com arroz e farinha; não bebiam água em copos – canecas de lata bastavam. Mal sabiam ler e sua filharada não tinha direito de ir às escolas das outras crianças nem aprendia ofício. O que faziam o dia inteiro, aqueles meninos de olhos baixos que às vezes entravam na mansão e os adultos chamavam de moleques? A menina de Berlim queria perguntar, mas pensava no liceu que a qualificara de indesejável e se calava.

6.

Ficção, perjúrio, mentira – a tudo isso se presta o testemunho. Mas nada tão verdadeiro como alguns delírios, reconhece Sofia enquanto junta os fragmentos de Rosa na tarde do verão carioca blindado pelo ar-condicionado. O réveillon de 2012, dali a poucos dias, não será de festa – dispensou o convite para celebrar na avenida Atlântica a entrada do ano-novo. Escolheu ficar com a mãe; em datas assim as enfermeiras parecem extenuadas e acidentes acontecem. Além do mais, a Rosa lacônica é dona de palavras que a filha prefere não desperdiçar.

Na infância, Sofia e a irmã faziam um esforço tremendo, e inútil, para recuperar o passado de Rosa, imaginar as ruas em que ela fora menina, sua escola, a professora, o quadro-negro, as brincadeiras, os animais domésticos, também os banhos de rio, a floresta farta em morangos. Criavam evocações baseadas em ilustrações inglesas e francesas de livros que pegavam emprestados na biblioteca da escola – telhados em ponta, adros de igrejas, mercados, crianças louras girando arcos. Pois Riga não fazia sentido, a Letônia não era contada na hora de dormir. Nunca existira a aldeia improvável dos avós: galinheiros, estábulos, pássaros do Báltico, mundo perdido, intraduzível.

A mulher que, ao ser perguntada, mencionava irmãos, irmãs, primos, primas, tias, não dispunha de um único afeto familiar capaz de oferecer afago e consolo. Amigas, algumas. Que delito a fazia ocultar toda uma vida?

Que culpa a fazia chorar subitamente, no meio da noite, ou diante do espelho da penteadeira? Sofia e a irmã atribuíam o silêncio a algum pecado terrível, substituído à medida que cresciam – Rosa roubara doces, matara aulas, não acendera as velas nas datas certas, não jejuara no Yom Kipur, tivera um amor secreto antes de casar... Depois, deixaram de se preocupar com o passado materno: casamentos, filhos, profissões, a vida se sobrepondo à morte. Até agora. Porque agora é preciso sepultar os mortos para abrir espaço no universo, e só é possível sepultá-los se forem contados.

Sofia aprendeu na clínica de psicanálise a vasculhar indícios, a desprezar a lógica aparente, a aguardar o fluxo das palavras, mas é com ânsia de noviça que escuta o mundo anterior ao navio. Protegida dos ruídos externos, Rosa esganiça a voz como criança e chama a mãe, a Sofia de mãos calosas e pano na cabeça que recolhe as carpas pescadas pelo marido no rio Dugava – cinzento o rio, marrons as casas – e reserva as mais carnudas para o rabino HaKohen, que o Altíssimo o tenha, ninguém jamais profanou seu túmulo – abençoado seja, coberto de mato – e preciso colocar as pedrinhas em cima dele, como manda o costume.

Também preciso colocar as pedrinhas na tumba do meu pai, grita Rosa, agitada antes do sedativo da noite, subitamente consciente da presença de Sofia, a filha mais velha, a que herdou o nome da avó. Você pensa que não sei onde está o corpo do meu pai, Sofia, pensa que não posso honrá-lo como é devido, pensa que ele foi assassinado na floresta junto com os parentes, os vizinhos e os amigos. Mas o que você sabe? Tem o nome de mamãe, mas não me engana, você é só a outra Sofia, a que nasceu no navio, a Sofia Esperanza que não faz ideia do que aconteceu.

7

Cukurs, Herberts Cukurs, o Aviador – Rosa W. reconhece-o no desembarque no Cais do Porto do Rio de Janeiro, mas nada diz ao marido. Iosse mandaria que cuidasse dos próprios assuntos, calasse a boca. Como não reconheceria o herói que os jornais exaltavam antes da guerra? Entre os 438 passageiros do transatlântico, poloneses, austríacos, tchecos, romenos, húngaros, russos, espanhóis, a maioria na segunda e terceira classes, aqueles que fizeram o inominável para salvar-se valem tanto quanto os outros. Sem perguntas, sem respostas. Cinzas frias, memórias silenciosas. E o silêncio não lhe é estranho.

A bordo do *Cabo de Buena Esperanza*, o que Rosa mais deseja é fugir, fechar os olhos e dormir um sono de horas, dias, meses, quem sabe de muitos anos, sono para aplacar o negrume dos invernos e o cheiro dos corpos queimados – mas não se dorme às portas do novo mundo, ainda mais se um bebê de olhos esbugalhados chora de fome e precisa de roupas limpas.

Lançar âncoras e agarrar o futuro é o que ela pode fazer. Deslembrar o pânico que a dominou quando o navio se aproximou de Curaçao, as casinhas brancas e brilhantes ao sol, e sentiu as primeiras dores do parto. Duas pessoas haviam morrido na travessia, jogadas ao mar às pressas. Náusea: também se tornariam comida de peixes, ela e sua criança? Por que tantos mortos sem sepultura, meu Deus? Rosa estava enjoada desde Marselha, na terceira classe malcheirosa em que folhas esticadas de jornal substituem lençóis nas macas da enfermaria. Ali nasceu seu bebê, a menina que ganhou dois nomes, Sofia – uma homenagem à avó – e Esperanza – por causa do navio. O comandante derramou gotas de champanhe sobre a testa da criança, gesto solene e bem-humorado. Quem nasce como ela, num berço assim imenso, protegida pelo céu e o mar, será para sempre abençoada, disse à mãe. Esse é o nosso pequeno milagre, ela murmurou entre soluços ao ouvido de Iosse.

Rosa não enxerga os desconhecidos que os aguardam no porto seguro, acolhida organizada por um comitê de ajuda a refugiados. A cabeça estoura. Saber que terão casa e sustento por uns tempos não faz desaparecer a dor que lhe perfura os olhos. Os passageiros se empurram para ver da amurada o que acontece lá embaixo, estranhando os gritos e a imobilidade de guinchos e guindastes. São os estivadores, que se recusam a descarregar os porões do navio e protestam contra uma *persona non grata* a bordo. Já esperamos tanto, vamos esperar mais um pouco, diz o marido, a voz nervosa, aguda, elevando-se sobre os sons que sobem de terra nesse 4 de março de 1946, uma segunda-feira, seu primeiro carnaval no Rio.

Cukurs sente um sobressalto. Desde cedo, embora seja carnaval, um batalhão de repórteres e fotógrafos se comunicara com a Polícia Marítima, a fim de saber a hora em que a embarcação cruzaria a barra, e agora sobem agitados a escada do navio. As crianças e Miriam K., a moça judia que abrigou em sua granja durante a guerra e que viaja com a família, enjoaram na travessia; não ele, nunca estranhou o mar nem os riscos. Tem todos os papéis em ordem, visados, carimbados, revistos, aprovados, e gente amiga o aguarda no cais.

Não é a ele que buscam. O alvo dos protestos é Eduardo Aunós, o embaixador espanhol designado para o Brasil, trancado num camarote da primeira classe. Basta esperar mais um pouco, diz Cukurs à esposa, a voz elevando-se sobre os sons que sobem de terra nesse primeiro dia de sua nova vida.

8.

Aunós estava em alto-mar quando o Departamento de Estado norte-americano divulgou que ele intermediara a venda de armas da Alemanha nazista para a Argentina na Segunda Guerra. O governo brasileiro, pressionado, revogou o *agrément* e sugeriu que Aunós desembarcasse em Curaçao, para dali retornar a Madri, mas o diplomata, ex-ministro e homem de confiança do generalíssimo Franco, decidiu seguir viagem.

Sabotador da democracia, caixeiro-viajante do Reich, fascista, bradou a imprensa do Rio, apoiando o protesto contra ele e o governo da Espanha, que apenas um mês antes fuzilara dez republicanos.

Waldemar S., alfaiate judeu, folheia o jornal enquanto espera o navio embicar no Cais do Porto apinhado. O sol, de esturricar. Ao seu lado, o companheiro do Partido Comunista não disfarça a chateação por estar ali em pleno carnaval, o primeiro depois da guerra. Acontece com o espanhol aquilo que nos anos mais duros da guerra aconteceu conosco, que fique mil anos à deriva, diz Waldemar ao rapaz. A bordo desse mesmo *Cabo de Buena Esperanza* milhares de judeus vagaram pelo Atlântico sem encontrar um país que lhes carimbasse os passaportes.

Waldemar ainda tem muito a fazer, mas bem que gostaria de correr para o pequeno apartamento onde Clara o espera com uma toalha úmida e um copo de limonada gelada, cinco colheres de sopa de açúcar como ele gosta – um xarope, ela protesta. Os próximos dias serão cheios; com os sindicatos exigindo do governo Dutra que rompa relações diplomáticas com Franco, haverá reuniões e mais reuniões, discussões infindáveis. Estivadores, navio, passageiros, Waldemar os enxerga nublado, e ao fundo a limonada, o açúcar, a toalha ao redor do pescoço, o rosto de Clara, os braços, as mãos de dedos longos a lhe massagearem as costas.

Waldemar seria incapaz de reconhecer Aunós ou Cukurs se os visse. Os homens, mulheres e crianças que identifica são os imigrantes que descem do navio, em cada um deles a face de um fantasma de Opatów. As mãos lhe tremem como as de um velho sempre que revolve a ferida das evidências – não voltará a ver o pai com quem aprendeu o ofício de alfaiate, a mãe na máquina de casear, o avô barbudo com seu livro de rezas, a irmã menor; nenhum deles sorverá a generosidade desta terra.

Sem corpos, sem *kadish* – prece em memória dos entes queridos falecidos. Para não ser dominado pela dor, obriga a mente a mudar de rumo: há toda uma humanidade a cuidar, a via política a trilhar. Zelar pelo próximo, servir com júbilo – o mandamento ressoa em seus ouvidos, porém não reconhece a voz. Onde encontrar a pura alegria, o regozijo? Em casa, talvez, nunca na gravidade com que cumpre as tarefas que se atribui. Os sábios ancestrais recomendaram consertar o universo, *Tikun olam*: Waldemar abandonou os livros sagrados, mas os fantasmas – e os preceitos – não o abandonaram.

Júbilo é o que vem da batida de tambores e das gargalhadas na cidade cujos códigos não termina de decifrar. Teoria e prática são paralelas que o confundem – os brasileiros se contradizem sem arrependimento, vão do peso à leveza em minutos. Neste domingo de carnaval, disputou espaço no estribo do bonde com homens fantasiados de mulher, batom carmim escorrendo das bocas, peitos postiços sob decotes, pernas cabeludas se equilibrando em saltos altos, e nenhum deles envergonhado. Mexeram com ele, puxaram sua camisa, jogaram lança-perfume em seus braços. Ele riu, fazer o quê?

Diante de tamanho contentamento, o desconsolo é uma ameaça. "Lutar contra Franco é lutar contra a degradação do trabalhador e os regimes que oprimem o proletariado", pensa no que vai escrever enquanto ouve os sons da bandinha que toca "Cidade Maravilhosa". Para Waldemar, uma figura sinistra como a de Adolf Hitler não se presta a brincadeiras, mas no Brasil a chacota é tão livre que o passo do ganso qué-qué-qué virou letra de música ainda antes do final da ditadura e do rompimento de Getúlio com o Eixo.

Até os companheiros mais críticos do ufanismo aplaudem a marchinha de exaltação ao fictício cabo Laurindo, "amigo da verdade, defensor da igualdade", que volta ao barraco no morro da Mangueira coberto dos louros dos campos de batalha. Waldemar é incapaz de ignorar que a linha reta é o caminho entre dois pontos, mas aqui as pessoas preferem isso e aquilo ao mesmo tempo e a ironia convive com o afeto: outra marchinha zomba do pobre Laurindo, que contou a meio mundo ter sido um herói sem nunca ter saído de Niterói.

Que alívio fincar raízes num país assim.

Não quero jantar, faz muito calor, diz irritado ao chegar em casa. Tanto esforço, e depois de algumas horas os estivadores vacilaram, cederam aos apelos das autoridades portuárias e o navio foi descarregado antes de zarpar para Santos. Clara sabe que é inútil tentar consolá-lo. Liga o rádio, desliga em seguida, liga outra vez, é carnaval e só se ouvem marchinhas e sambas. Senta-se para escutar o desabafo desse homem que precisa de sua atenção como de ar e que afasta o prato para pegar bloco de papel, apontar o lápis – só escreve com lápis pretos de pontas finas esculpidas à gilete – e começar a redigir mais um panfleto, alheio aos erros de concordância e ortografia que um companheiro depois corrigirá.

A Espanha franquista é o foco do fascismo que deve ser extinto para dignos sermos do sacrifício dos soldados brasileiros na Europa – lê em voz alta, testando o efeito. Sacrifício? Não há outra palavra?, pergunta Clara. Deve haver, mas para condenar o fascismo sem mencionar a recente ditadura brasileira e o autoritarismo do governo é preciso dar voltas à imaginação e à língua. Waldemar escreve e joga fora, escreve de novo, joga fora, as folhas rabiscadas são bolas de papel que atira no chão.

Deixe para mais tarde, descanse um pouco, ela lhe diz, e ele se interrompe. Um ano desde o casamento e nada, nada, absolutamente nada lhe falta, nem mesmo filhos. Em ídiche, a palavra para isso é *bashert* – a mulher destinada ao homem pelos céus, nem sempre encontrada na vida terrena. O gozo de ter Clara só para si o acompanha durante o dia, prolonga-se à noite. Se fosse religioso não repetiria a prece matinal em que o homem agradece a Deus por não ter nascido mulher, mas recitaria a oração de louvor a essa esposa boa entre todas, que cozinha para quantas bocas aparecerem, copia seus panfletos e o substitui no balcão enquanto ele circula pela cidade convocando aliados, simpatizantes e desconhecidos para remediar os erros humanos.

Tinham se conhecido numa festa, ele a convidando para dançar em meio a pedidos de perdão pela falta de jeito. Foi num impulso, aproveitando o fim do Estado Novo e da clandestinidade – quanto duraria aquela bonança? –, que propôs casamento a Clara. A proposta tivera um empurrãozinho dela: vou morar em São Paulo com as outras primas, trabalhar lá, informara ela numa tarde chuvosa de sábado, os dois olhando o mar cinzento da calçada na praia do Flamengo.

Não vá, minha flor, implorou. São Paulo é longe, não quero ver você uma vez ou outra. Passou-lhe as pontas dos dedos sobre os cabelos lisos, a face, os braços, com lágrimas nos olhos que atribuiu a um cisco.

A tia perguntou a Clara quando ficariam noivos. Onde estava a aliança? Ao noivado é atribuída tanta importância na tradição judaica que é preferível o divórcio a rompê-lo. Não, titia, Waldemar dispensa formalidades e confio na sua palavra, vou trabalhar com ele na alfaiataria depois do casamento. Querida, não se precipite, será que ele tem condições de manter uma família? Ah, não me precipito, a família por enquanto se reduz a duas pessoas e nenhuma delas come muito. Ele precisa de mim e começo a precisar dele, do seu olhar, da voz grave, ao seu lado sinto o aroma dos jasmins que antes não sentia.

Vocês são todos uns comunistas, não querem saber de nada disso, mas casamento é sagrado, declarou o tio de Clara, a festa vai ser por minha conta. Adulava a sobrinha – a única sobrevivente de uma vasta família, a filha mais velha de um dos irmãos, a que se dispusera à aventura brasileira antes da guerra.

Nem por um momento Waldemar duvidou da necessidade da cerimônia religiosa; sem ela, ao ninho faltaria o chão. Acordou cedo na véspera e, como não tinha parentes, tomaram o bonde, ele e o tio Saul, para cumprir na sinagoga o ritual da leitura da torá. O tio recitou Isaías: "Eu que lhes falei com relâmpagos e trovões no Monte Sinai, que lhes dei os Dez Mandamentos, Eu os consolarei em todos os tempos" – leu e prosseguiu com a promessa de reunião na terra bíblica, "Desperta, acorda, ergue-te, Jerusalém". Israel é um só povo, que aspira a uma só meta, proclamou o rabino ao final, e o noivo incrédulo, sonolento, sequer piscou os olhos.

Foi assim que num fim de tarde de domingo, raios e relâmpagos cortando o céu do Rio, a chuva forte enchendo as ruas, ele e Clara posaram para a fotografia que agora pende da parede da sala, e chegaram juntos, atrasados, no mesmo carro emprestado, ao Grande Templo da rua Tenente Possolo, aguardados por duas centenas de convidados, brancos e mulatos, pobres e remediados, sindicalistas e tias idosas, todos igualmente salpicados pela água que jorrava dos bueiros. Quando a noiva se colocou ao seu lado sob o pálio nupcial, em frente ao *Aron Hakodseh*, e o rabino leu as preces e o contrato de casamento, o mundo desapareceu. O burburinho cessou, as crianças emudeceram de repente nos fundos da sinagoga. Waldemar pronunciou com uma ênfase que não esperara de si mesmo a fórmula *Harêi At*. O cantor entoou as sete orações e o noivo rezou como não sabia que ainda sabia.

Mazel tov! Por pouco não desatou em choro, e depois passou a festa inteira desfazendo em álcool o nó na garganta. Senhoras e senhores, estrangeiros de todas as latitudes, bem-vindos a essa terra dadivosa, irmã das nações em festa no mundo livre. "O carnaval da vitória/ celebra o povo herói/ você e eu/ eu e você/ no Cordão do Engenho Novo/ você e eu/ eu e você" – proclamava o samba batucado nas proximidades. Vinho, pastéis, empadas, panquecas, *fluden* e bolos – confeitados durante dias por meia dúzia de mulheres – foram consumidos pela pequena multidão que, esquecida da vida, da morte e da guerra, cantou e dançou até o amanhecer no quintal suburbano iluminado por gambiarras, o chão de cimento molhado refletindo as estrelas da noite abençoada.

9

Manhã de domingo, final de verão do ano de 1950 no Rio de Janeiro, céu limpo, a clientela chega antes do sol a pino. À beira da Lagoa Rodrigo de Freitas salpicada de garças, mais um dia se inicia junto ao espelho-d'água que nenhuma brisa agita.

O Aviador já tinha visto o quarteto por ali: o homem sorridente atrás das menininhas de tranças, braço sobre os ombros da mulher de seios fartos e estrela de Davi em ouro sobre o decote – só não sabia que Iosse e Rosa tinham desembarcado com ele no Rio. Gorduchos, ele moreno, ela ruiva, em tudo diferentes dos seus velhos conhecidos judeus, os prósperos satisfeitos arrogantes donos dos bancos e das melhores lojas e fábricas de Liepāja e Riga, os que tiveram motivos de sobra para lamentar quando o Exército Vermelho invadiu a Letônia em 1940, nacionalizando negócios, confiscando propriedades, fechando sinagogas e escolas. Com o orgulho ferido de quem assiste aos céus esmagarem a terra, lamentaram mais ainda a ocupação alemã que lhes abriu as portas do inferno enquanto ao redor as águas viscosas do porto continuavam a recolher navios, marinheiros bêbados e aves de arribação.

Mas não é do temperamento do Aviador debruçar-se sobre o passado. Para ele a vida nunca deixa de ser urgente e neste instante o que lhe cabe é despachar o narigudo que estende suas mãos pequenas às menininhas de tranças e à mulher séria com estrela de Davi em ouro sobre o decote discreto. Mãos que nunca pegaram em fuzil, braços que não enfrentaram mares gelados ou areias de deserto.

A casinha flutuante onde trabalha não se move e os barcos movidos a pedal estão a postos. Do outro lado do oceano que começa a alguns quarteirões dali, outra vida, a primeira, escorre: sua baía querida treme de frio, sua gente agora assa batatas, limpa a neve das ruas, trinca os dentes e fala russo com os comunistas. Sorte e empenho trouxeram-no até este recanto protegido, onde não entram e saem navios, tampouco marinheiros bebem em bares sujos; só se avistam crianças, casais de namorados, garças, e a vida é leve o suficiente para um homem engenhoso. Como se não houvesse passado.

Ele acordou antes das seis, ajustou parafusos, calafetou um rombo, vistoriou os pedalinhos construídos com a ajuda dos filhos. Mas não tocou neste em que agora embarcam os quatro, justo este não verificou, pensa enquanto atende ao chamado de alguém, os olhos piscando por causa da luminosidade. Vira as costas para a explosão ofuscante de azul e verde, as meninas que acenam, o pai que pedala furiosamente, a mãe que agarrada à estrela de Davi não vê os morros e os barracos em volta, não sente o calor, a mãe que arregala os olhos para enxergar sua baía querida que treme de frio, a baía em cujas margens seus mortos – incontáveis – não assam batatas, não limpam a neve das calçadas, não trincam os dentes e não falam russo. Por que uns foram escolhidos para viver, outros não? Bendito seja o Eterno que me escolheu para chegar até aqui, onde a vida é leve o suficiente para uma mulher engenhosa. Como se não houvesse passado.

Casal, meninas e embarcação em seguida são uma coisa só, ponto embaçado à medida que se afasta da margem. O ponto navega algum tempo, se é que se pode chamar de navegar esse arrastar-se em que o bote movido a pedais percorre sua trajetória cambaleante até mudar subitamente de posição, inclinar-se, cambalear, adernar. A Lagoa já se enche de gente, o domingo promete, um menino grita para o pai que quer subir no pedalinho, é sua primeira vez, e Cukurs retrocede até a entrada do barracão à beira d'água, vasculhando a bolsa de lona. Busca a bomba de encher pneus de bicicleta, que usa para secar o interior dos barcos inundados depois de meia dúzia de viagens. É preciso verificar tudo, murmura para a filha que o ajuda, antes da atenção se fixar no vulto de um homem que acena esbaforido para a margem. Um minuto depois, o bote se desgoverna, gira, tomba. Capota, *kaput*.

Braços que não sabem nadar, mãos pequenas que nunca pegaram em arma. Haverá tempo de acudi-los, retirá-los da água, salvá-los? Caminha para a margem e solta dois pedalinhos. Do ponto branco emborcado, nenhuma cabeça assoma. Estarão presos no lodo do fundo? As tranças infantis, o decote, o homem narigudo de mãos pequenas? Outro pedalinho aproxima-se do que está virado, ouvem-se gritos, acenos nervosos, e ele se apressa, que não pensem em negligência nem apontem falhas em seu material, que continuem a estimá-lo como o empresário cuidadoso que tem sido. Entra no pedalinho, a ele prende o outro por um cabo firme, preparando-se para rebocar os quatro passageiros para terra firme.

Ao se aproximar, ouve, antes de vê-la, uma das meninas soluçando, encolhida num pedalinho junto a um casal que a abraça. O rapaz cobriu-a com o paletó, a moça afaga seus cabelos; a menor está segura dentro d'água pela mãe que faz movimentos de nadadora. Auxiliado pelo casal, ele instala depressa a menina no pedalinho que rebocara enquanto o pai, agarrado ao bote virado, grita que não sabe nadar, e isso não vai ficar assim, não pense o senhor que vai ficar assim, foi um crime nos deixar entrar num barco em mau estado; aceita sua ajuda para subir, contudo, e, sempre abraçado à menina, chegam em minutos à terra firme.

A mãe, nadando em grandes braçadas com seu vestido rodado, aproxima-se da margem ao mesmo tempo que eles. Uma família se afogou, ela ouve alguém dizer enquanto caminham para o clube ao lado e um empregado aparece com um cobertor de lã que joga sobre as meninas. Um senhor de bigodes grita que é preciso vistoriar essa diversão, onde está a Prefeitura numa hora dessas, meu Deus do céu?! O pedalinho estava cheio de furos, como ninguém viu isso? Uma mulher gorda sugere que chamem a polícia, e então se aproxima de Rosa uma moça loura, parecida com Cukurs, mas que fala melhor do que ele essa língua cheia de vogais e chiados. É ela quem contorna o mal-estar, vamos ficar calmos, está tudo bem agora. Talvez as meninas tenham se agitado muito, ou vocês fizeram peso para um só lado, produziram uma instabilidade e o pedalinho não suportou. Não são tão propensos, esses judeus nervosos e instáveis, a todos os tipos de desequilíbrio?

Rosa retira algas dos cabelos das meninas, o visgo lhe gruda nos dedos, mas logo se limpa, alguém lhe estende um roupão, e é com raiva sob as lágrimas que lhes retira as roupas, esfrega-as com uma toalha embebida em álcool. Envolve a menor num xale, a maior no cobertor de lã. Aprendeu a nadar no rio Gauja com o pai, homem acostumado a carregar toras de lenha e a fazer iscas, pescador com perfume de carvalho, e foi pensando nele que mergulhou – me salve, me ajude, só o senhor pode – nas águas turvas dessa Lagoa onde os cachos da menina menor já se espalhavam como teia de aranha quando os agarrou e os puxou até chegarem à tona, machucando a criança, depois de deixar a maior agarrada ao pedalinho virado.

Esta, eu quase perdi, acrescenta num fiapo de voz para o casal que os ajudou. Se ela tivesse batido lá embaixo, encostado no fundo, o lodo não me deixaria tirá-la, peguei os cabelos por milagre. Meu marido, coitado, nunca aprendeu a nadar, diz olhando as mãos que tremem e acariciando a face de Débora, a mais nova, que pelo resto da vida terá enxaquecas, depois volta-se para Sofia que sorve o ar entre soluços, para sempre o ar lhe faltará e ela o buscará – na serra, no mar, em remédios – tão inutilmente quanto busca agora o olhar do pai. Molhado, perdidos os óculos, descalço, mas empinando o peito, Iosse corre atrás de Cukurs quando este já se prepara para dar o assunto por encerrado.

Dentro do barracão mal iluminado, Sofia não vê quando um relógio troca de mãos. O letão corpulento entrega ao judeu seu Rolex prateado. O senhor fique com ele, é só um gesto de cortesia com sua família, não faço isso para comprar seu silêncio, absolutamente, diz em alemão.

Ele não comprou o meu silêncio, Rosa cospe as palavras quando a caminho de casa o marido lhe mostra o relógio. Por pouco não matou minhas filhas, e eu acho que sabia o que fazia. Que seja para sempre maldito.

10.

Waldemar é de poucas palavras. Comunista, cochicham os vizinhos. Sai cedo, chega tarde, não perde tempo em conversas no botequim. Aos domingos vai à padaria de camiseta e calça de pijama, depois passa a manhã ouvindo música. É preciso esquecer a política e o trabalho durante um par de horas, e nada melhor para isso que postar-se junto à vitrola Landgraf que drenou suas economias: saem do móvel de jacarandá boleros chorosos, sambas, suingue, marchinhas carnavalescas, ele é capaz de apreciar de Dircinha Batista a Nat King Cole para fechar a semana. Desanuvia o cérebro, ri, tamborila os dedos. Ah, como gosta desse contraponto à seriedade da sua vida. Nem para almoçar se veste aos domingos, suspira Clara para justificar a recusa aos convites de Rosa, a vizinha que aos poucos se torna amiga, para passearem no Campo de Santana, na Lagoa Rodrigo de Freitas, em Copacabana, no Alto da Boa Vista.

A cada domingo Rosa e Iosse, acompanhados das filhas, vasculham a cidade. Lugares não faltam e Clara bem que gostaria de acompanhá-los, mas não deixa Waldemar sozinho nas suas poucas horas livres. O marido parece arranjar uma ocupação nova por semana e agora deu de estudar português em livros de escola. Comprou um caderno, até encapou-o com papel pardo e garante que um dia vai falar e escrever a língua como se tivesse nascido aqui. Copia frases, inventa ditados, conjuga verbos de improváveis flexões que sublinha com lápis vermelho. Um sonhador, fazer o quê? Para ensinar depois aos nossos filhos, diz. Se forem meninos, ele já escolheu os nomes. Clara sonha em silêncio com uma menina, éramos quatro em casa, porém não nomeia quem não nasceu e só Deus sabe se nascerá. A *mensch*, melhor que esse eu não encontraria, conta piadas quando estamos deitados, apaga a luz se eu peço, nunca reclamou da comida, então que passe de pijama o dia em que não trabalha.

É com pressa que na segunda-feira Rosa põe as meninas para dormir após o almoço e cruza o corredor escuro até a porta de Clara. Precisa desabafar. São doze apartamentos pequenos ao pé do morro no Estácio, a rua pontilhada por jardins de cravos regados a cada manhã, o silêncio das noites só cortado pelo batuque que vem do alto. Entre portuguesas e italianas que falam alto, saem à rua de tamancos e cultivam cheiro-verde em latas nas áreas de serviço, as duas judias se reconhecem. Usam o mesmo perfume de alfazema, apreciam o mesmo chá preto, forte e com pouco açúcar, guardam como relíquias uns gastos broches de camafeu. Falam baixo na velha língua que serve de acalanto, ignorando o abismo que as separa – Clara leu dezenas de livros em Varsóvia, estudou para ser atriz, frequentou reuniões políticas; Rosa nunca foi além da escola secundária nem pôs os pés num teatro de verdade. O marido de Clara traz para casa jornais que discutem o futuro; o seu, pensa no presente. O outro mal presta atenção no que come, está cada vez mais magro; o seu, faz questão de comida fresca e lambe os beiços quando ela dispõe os pratos sobre a mesa.

Sem perguntas, ambas gostam de sentar aos sábados, depois do almoço, na salinha de Clara, para ouvir música e assar tortas de maçã e bolos de chocolate enquanto riem das brincadeiras das duas menininhas de tranças. Rosa pinta as unhas de vermelho, oferece o esmalte que a outra recusa. Que mal faz ficar bonita? Clara não responde, mal não faz, mas falta-lhe vaidade – antes de ajudar Waldemar com a contabilidade semanal, aproveita a pausa, faz dela o seu íntimo *shabat* de aroma adocicado. Aqui e agora, o cotidiano se tece de miudezas que suspendem provisoriamente o passado.

Vou contar a você uma coisa que não contei a ninguém, diz então Rosa. E pela primeira vez pronuncia o nome do homem que vira desembarcar do *Cabo de Buena Esperanza*, quatro anos antes, ao lado do marido empapado de suor, carregando nos braços a recém-nascida de olhos esbugalhados. Vira-o de novo na Lagoa, a primeira vez há uns meses, na tarde em que estrearam o automóvel, uma das loucuras de Iosse, que se endividou para comprar o velho Oldsmobile.

Exibe à beira d'água a segurança que exibia nas fotografias estampadas nos jornais, esse Cukurs das manhãs de sol, e mantém o ar marcial de piloto aclamado em todo o Báltico antes da guerra. Um herói, mas se voltou contra nós – a estrela de Davi que sobe e desce no peito é a única medida da agitação da amiga, ao descrever o homem de quem Clara nunca ouvira falar. Rosa passou a guerra abrigada na granja de uma família luterana, convidada a compartilhar sua mesa e suas orações, ouvindo que seu povo tinha sido abandonado. Onde está o Deus deles?, perguntavam, e recitavam o salmo acusatório: nos céus está o nosso Deus e tudo faz como lhe agrada. Agrada-lhe o morticínio alheio? Os rabinos nunca puderam explicar por que o nosso, o Eterno, o Altíssimo, olhou para o outro lado.

Domingo, quase morremos por culpa do maldito.

Do Eterno são os céus, mas a terra Ele entregou aos homens, que se esconderam da face divina para cometer as maiores atrocidades, murmura

Clara quando Rosa termina o relato. Dessa vez minha família foi salva, a amiga suspira. Salva por você, querida, diz Clara. Preciso contar isso a Waldemar, talvez os companheiros queiram fazer alguma coisa.

O marido se proclama pacifista, mas vive dizendo que mataria com as próprias mãos os nazistas soltos pelo mundo. Levanta-se para pegar a chaleira e serve mais chá, quer acalmar o nervosismo de Rosa, distraí-la do gesto repetido de alisar a saia de algodão, o bendito algodão brasileiro que substituiu as lãs que lhe pesavam no dia em que viu Cukurs saltar do navio, cercado pela família, entre tantos passageiros, o único de casaco de couro.

11

Não precisamos ter medo deles. Não aqui. Se tiver tempo leia esses artigos, e Clara estende à amiga uns folhetos que tira do armário da cozinha, e duas ou três folhas de jornal que busca no quarto, não mostre ao seu marido, ele vai dizer que isso é coisa de *roiter*.

Durante três dias, Rosa lê e relê. Com orgulho pela confiança de Clara, percorre devagar, com dificuldade, a linguagem desconhecida, ela que até agora só leu em português revistas ilustradas, uma ou outra notícia de jornal. "Que nazistas e fascistas tenham liberdade em terras brasileiras, jamais poderemos admitir. Gritaremos sempre para que esses monstros tenham o seu fim merecido." Para essa gente, a guerra não terminou, pensa, as guerras nunca terminam. "O recrudescimento do nazismo e, portanto, do antissemitismo concomitantemente em vários países, e inclusive no Brasil, não permite posições neutras. Permanecer calado é colaborar vergonhosamente com essa situação."

Palavras longas (o que será con-co-mi-tan-te-men-te?), no idioma cuja sintaxe nunca dominará. Rosa não compartilha o novo conhecimento com o marido. *Ach ich zog tog, zogt er nacht* – se eu digo dia, ele diz noite. Falar com Iosse é como falar para um percevejo morto. Não, não vale a pena contar o que vem lendo, ou o que vem sentindo. O único tema do marido é o dinheiro que lhe falta, o dinheiro que inveja nos outros, o dinheiro que sonha possuir um dia, o maldito dinheiro que ora o irrita, ora o deixa em estado de euforia. Não pense em desgraças, querida, estamos no paraíso, repete quando ela comenta uma injustiça, não somos a palmatória do mundo, só encrenqueiros vivem procurando problemas em vez de construir uma vida nova.

Tenta ler tudo, quer agradar a amiga, volta às páginas que acabou de fechar, presta mais atenção, mesmo que o coração pareça não caber no peito e a leitura a faça lembrar dos demônios que mataram sua família. "Combate-se o judeu sob as mais diversas epígrafes. Na antiguidade era acusado de prática de crimes rituais, de traidor de Cristo, envenenador de poços, responsável por terremotos e epidemias. Atualmente o judeu é fomentador de guerras, é racista, comunista, capitalista, é por fim um verdadeiro paradoxo ambulante." Precisa perguntar a Clara o que é paradoxo. E epígrafe? Mas não precisa que lhe expliquem o significado da palavra traidor. Por que nos mataram? Nunca mais ouvirá os risos das amigas e das irmãs – o vazio preenche o espaço inteiro. Que pecado tão grave foi o nosso? Difícil despertar de noites em companhia de fantasmas. Comer mais um prato, viver mais um dia – para quê?

Quero que você suma daqui com esse relógio, diz então ao marido, as mãos daquele homem estão sujas do nosso sangue. Você não tem certeza, responde ele, impaciente. Ninguém tem certeza do que ele fez, todo mundo conhecia seu rosto, sua fama, só por isso se lembram dele, e como gostam de criar caso falam qualquer bobagem. Meu melhor amigo antes da guerra vestiu o uniforme da legião letã em Daugavpils, tinha 20 anos e foi forçado a ir com eles. Forçado, sim. O que podia fazer? Bancar o esperto e fugir? Para onde? Mas ninguém sabe o que fez. Estamos cercados de gente que só quer confusão, acrescenta, apontando o queixo em direção ao apartamento dos vizinhos. Ainda acabam deportados...

Uma semana depois, contudo, o relógio tinha desaparecido. Comer mais um prato, viver mais um dia – a esperança recupera seu lugar no mundo, um clarão entra pela fresta. Não vai me perguntar o que fiz com ele?, Iosse indaga na hora do jantar, entre uma garfada e outra de peixe cozido.

"Não estou interessada, você deve ter vendido a bom preço, use o dinheiro como quiser."

"Quero levar você e as meninas para uma temporada em São Lourenço, fiz um bom negócio."

A novidade a desarma, os traços se distendem, em poucos minutos a mente afugenta as panelas e o tanque.

Pela primeira vez irão a uma estação de águas, a uma pensão, decerto, não a um dos hotéis frequentados pelos benfeitores do Templo, os imigrantes que prosperaram e trocaram o comércio nas ruas por lojas bem sortidas. Oportunidade maravilhosa, querida, leve a melhor roupa, compre os tecidos, tenho crédito, e sapatos novos para as princesas. Estaremos entre os nossos, vamos conhecer pessoas que valem a pena. De dia, os jardins do parque, o ar puro, as fontes de água mineral; de noite, o carteado. Não vejo a hora de estar longe desse prédio com cheiro de banha. Voar em vez de rastejar. A vida às vezes pode ser leve o suficiente, com ou sem passado.

12.

Iosse não se esquece de beijar as filhas todas as manhãs antes de sair. Falta alguma coisa?, pergunta a Rosa na porta, a pasta de couro na mão, para assegurar-se de que tudo está sob controle antes de passar o dia nas ruas em busca de negócios. Bons negócios, se possível; razoáveis, se necessário. Em quatro anos, aprendeu as manhas da cidade e conhece meio mundo. Pega o apinhado bonde 46, Estrela, sobe a rua Haddock Lobo em direção à Machado Coelho e é sem maior incômodo que viaja no estribo, orgulhoso por manter apurados os cinco sentidos, a capacidade de equilibrar-se onde outros caem. Entra e sai de lojas e escritórios, fala com pobres e ricos, toma incontáveis cafés, almoça em botequins, faz cobranças, vislumbra rostos. Dois espectros o acompanham, mas isso ninguém enxerga: o amigo cristão obrigado a vestir o uniforme da Legião Letã se salvou; e o amigo judeu, morto.

Não culpa o cristão, nem em pensamento, Deus o livre. Quem é ele para julgar um rapazinho diante do qual os dias escorriam como se o futuro tivesse sido cancelado? Um assassino racista elogia sua disposição, coloca uma arma na sua mão, informa que ou se torna soldado ou vai para os trabalhos forçados. O rapazinho não sabe que o front oriental está entrando em colapso, e, de qualquer modo, quem tem coragem de pronunciar a palavra *não*? Aprende a marchar, a limpar uma arma, a atirar sem tremer, a usar uma bússola, a esquecer de onde veio. Os políticos, os generais e os jornais contam a história que lhes convém, verdade contra verdade, mas os fatos nem sempre ficam onde deviam.

A lembrança do amigo que se salvou não consola Iosse. O que o consola é a certeza de que o pior ficou para trás. Um mundo foi extinto, outro nasceu, diz para si mesmo ao sentir que a memória se intromete e lhe pesa mais do que a mala de quinquilharias com a qual, encharcado de suor, subia o morro em Vigário Geral, seu primeiro território de vendas no Rio, até o poço das lavadeiras negras. Uma das poucas frases que conhecia em português, então, era "Compra, freguesa". As lavadeiras lhe perguntavam, rindo, piscando o olho, se o tecido colorido desbotava, e ele confirmava: "Compra, freguesa, bom, desbota", enquanto lhes admirava os pés nus, os seios que não escondiam e, sob as saias arregaçadas, as coxas grossas.

Era perto de um antigo poço de pedra, muito diferente do poço das lavadeiras, que ele conversava com os amigos, antes do gueto e do campo de Kaiserwald. O amigo judeu, que simpatizava com os russos, os teria aplaudido por salvarem milhares de vidas ao libertarem os campos. Quem conheceu as maldades de Stalin não acredita que foram generosos conosco, nos alimentaram e nos medicaram, diz antes que o interrompam. O café está quente, o abacaxi suculento, a goiabada macia, as mulheres sorridentes, não há por que repetir essas histórias. Mas antes de me calar, preciso contar – só mais uma vez, prometo – como saía do gueto para roubar e não morrer de fome com a ração de 120 gramas de pão por dia, 25 gramas de margarina por semana, 120 gramas de carne por mês.

Os nazistas condenavam à forca quem fosse apanhado contrabandeando comida, mas o amigo judeu não morreu por isso. O que aconteceu é que em abril de 1943, dois anos antes do fim da guerra, os alemães descobriram armas escondidas no gueto pequeno, o gueto dos trabalhadores. A brisa da primavera soprava sobre Riga, depois de um inverno rigoroso, quando prenderam e executaram trezentos homens, o amigo entre eles. Eu estava em Kaiserwald, de onde saí pele e osso, as costas arrebentadas de tanto carregar lenha e máquinas para a *Schutzpolizei*, murmura, e por mais que me ofereçam cafezinhos, frutas maduras e mulheres de coxas negras, isso não se apaga.

13

O letão que Waldemar não vira descer do *Cabo de Buena Esperanza* é agora um alvo da esquerda, mas não só dela. Deputados solicitam ao governo investigações sobre sua entrada no Brasil e a Associação dos Ex-Combatentes anuncia ser sua presença uma ofensa aos jovens soldados mortos em combate na Itália. Na câmara dos vereadores do Distrito Federal a moção requerendo sua expulsão só não é aprovada por unanimidade por causa do voto de um representante da antiga Ação Integralista Brasileira.

Para reforçar a campanha pela expulsão, o Comitê Unido, que agrupa 12 entidades judaicas ligadas ao Partido Comunista, de novo na ilegalidade, convoca um Júri Simulado, que na noite de sábado, 12 de agosto de 1950, reúne centenas de pessoas no auditório da Associação Brasileira de Imprensa, ABI. O Brasil não pode ser a terra de acolhida de criminosos de guerra, dizem os panfletos que circulam há dias pela cidade. Estudantes atuam como juiz, testemunhas, advogado de defesa, promotor e júri no "julgamento", que é acompanhado por gritos, vaias, lágrimas e palavras de ordem. A emoção toma conta da plateia, as mulheres se erguendo das cadeiras para respirar no saguão, algumas passando mal à medida que as atrocidades são revividas.

Herberts Cukurs escapou da Europa e da punição, não escapará da nossa justiça de brasileiros e democratas, afirma a estudante de Direito que atua como promotora no libelo em que descreve os corpos carbonizados na grande sinagoga, as marchas da morte para a floresta, os corpos empilhados em valas. Não há lugar aqui para o Carniceiro de Riga, o número 17 da lista dos réus do Tribunal de Nuremberg!

Estava errada, contudo, a informação de que Cukurs era o criminoso de guerra nº17 do Tribunal de Nuremberg, que julgara, em 1946, figuras da alta hierarquia nazista. A confusão se deveu ao seu nome ser, de fato, o 17º de uma lista de 23 do Comitê de Investigações dos Crimes Nazistas nos Países Bálticos. O que havia de mais concreto contra ele, em termos jurídicos, eram quatro depoimentos colhidos pelo Comitê no pós-guerra. Estes depoimentos tinham chegado à Federação das Sociedades Israelitas do Rio de Janeiro, que os enviara ao Ministério da Justiça porém não os divulgara abertamente nem os compartilhara com o Comitê Unido. Mais propensa às gestões de bastidores que aos atos públicos, a Federação desaconselhara a realização do Júri Simulado. Insultos haviam sido trocados pelos dois grupos, o principal jornal da esquerda judaica, *Nossa Voz* (*Unzer Stime*, metade em português, metade em ídiche), chamando de fascistas os dirigentes da Federação, estes alegando que o Comitê Unido não representava a comunidade e insistindo em "aguardar as providências [do Ministério da Justiça] sobre o assassino Cukurs".

Inflamados pelo Júri Simulado, uma dúzia de rapazes, a maioria estudantes universitários, decide dar uma lição imediata em Cukurs. Justiça e reparação: culpados não devem ficar impunes. Vamos quebrar tudo o que ele tem, que o carrasco seja expulso, que não sobreviva entre nós! Eufóricos, cantando, saem de carro da ABI, no centro do Rio, rumo aos areais de Ipanema e ao Jardim de Alah, de onde logo alcançam o cais dos pedalinhos.

Ao se aproximarem das margens escuras e silenciosas, carregando cartazes toscos e faixas pedindo a extradição de Cukurs, armados de tinta e pincéis, os rapazes encontram fechada a porta da casa de tábuas onde o letão guarda parte de seu material de trabalho. Começam a pichar suásticas nas paredes até que o homem corpulento aparece, abanando as mãos e gritando ameaças em português com sotaque. Um deles joga o pincel na cara de Cukurs e sai correndo. E se ele estivesse armado?

Algumas varandas se iluminam quando um grupo emborca três pedalinhos, golpeando os cascos com pedaços de pau, e ouvem-se gritos, até o barulho ser encoberto por outro, o da sirene da radiopatrulha chamada pelos vizinhos. Na madrugada fria, as bordoadas policiais dispersam os manifestantes, mas três homens não conseguem fugir e acabam presos.

14

Olhos inchados, Clara bate na porta de Rosa, que se assusta. Meio-dia de segunda-feira, 14 de agosto, falta um mês para Rosh Hashanah e as encomendas na alfaiataria se avolumam. A amiga em casa é sinal de problema. Sem notícias de Waldemar desde que ao final do Júri Simulado despediram-se na esquina da rua Araújo Porto Alegre, antes que ele rumasse com os outros para o cais dos pedalinhos na Lagoa Rodrigo de Freitas, Clara se sente cansada demais para abrir o negócio. O empregado que a espere, até entender que ganhou uma folga. Se houver fregueses, que voltem outro dia. Convida Rosa para o chá e desce para comprar pão, mas estaca na banca de jornais, atraída pela manchete de *O Globo*, letras maiúsculas sobre tarja preta.

CRIMINOSA TENTATIVA DE AGITAR NO BRASIL

O PROBLEMA SEMÍTICO

Esquece o pão e volta ao apartamento, jornais nas mãos. O governo promete manter a lei e a ordem até as eleições presidenciais em que dois meses depois se enfrentarão Getúlio Vargas e o brigadeiro Eduardo Gomes, diz a notícia, e a depredação dos pedalinhos constitui uma insubordinação inaceitável. Agora é Rosa quem bate na sua porta: sabe onde Clara guarda a chaleira e ferve água, corta uma maçã pela metade, espreme no bule um limão inteiro, remédio para a náusea da amiga diante do editorial do jornal, que já no título não deixa dúvidas a respeito do comportamento que se espera de gente como elas.

AUDACIOSA ATITUDE DE ESTRANGEIROS NO BRASIL!

Promoveram um julgamento
e quiseram fazer justiça por suas próprias mãos

Que a comunidade judaica se movimente para alcançar, perante as autoridades, a punição ou a expulsão desse antigo nazista, inexplicavelmente entrado no país como "agricultor", é um direito que lhe cabe. Mas que vá ao ponto de tentar passar por cima da lei para atingir esse objetivo é o que não devemos tolerar, sob pena de fomentarmos a anarquia e a insegurança coletiva.

O Globo, 14.08.1950

Ai, céus, será que vão nos acusar de alguma coisa? Um só Deus e tantos inimigos... Três homens foram presos, informa o jornal, e Clara reconhece os nomes. Deve ser por causa deles que Waldemar não voltou, com certeza participando de reuniões em locais que, por segurança, ela desconhece. Há risco de mais prisões, ou até de deportações? – Rosa pergunta. Não sei, querida, deputados e senadores nos apoiam, mas há tantos nazistas e fascistas espalhados pelo mundo. O que me preocupa é que muitos brasileiros ainda acreditam que somos capitalistas, comunistas, agiotas, tudo junto, diz enquanto recorta da *Gazeta de Notícias* um artigo que nega aos judeus a cidadania brasileira.

Waldemar aprecia os recortes dela, gosta de conversar sobre o que a imprensa publica, e lê atento tudo o que lhe cai nas mãos antes de redigir seus panfletos. Orgulha-se quando seus textos cruzam a cidade, angariando adesões e simpatia para as causas que considera vitais. Sem a guerra, quem sabe teria sido escritor em vez de alfaiate. "É inadmissível que um assassino explore barcos na cidade, e que se prepare para inaugurar um restaurante flutuante", escrevera. "O cartão-postal do Rio está cheirando mal, e não só por causa da mortandade dos peixes. O homem se sente tão protegido, tão acima das leis, que nunca se preocupou em ocultar seu nome, mas não vamos dar trégua a ele nem aos que o apoiam."

Quando um Waldemar suado e com olheiras abre a porta da sala no início da noite, Clara está a ponto de dormir na poltrona, a luz do abajur tingindo seu rosto de amarelo. Tenho muito o que contar, ele diz enquanto joga os sapatos longe. Os três detidos, autuados por dano material doloso, pagaram fiança e foram liberados, mas devem sair da cidade por uns tempos, é mais seguro. Cada vez mais gente se manifesta contra Herberts Cukurs, esta não é uma questão apenas judaica, estamos no bom caminho, ele celebra.

INSOLÊNCIA
[Por José Bogéa]

Se Cukurs está regular em nosso país, com seus papéis em ordem, é porque o governo o recebeu, e nesse caso nenhuma comunidade estrangeira tem o direito de insolentemente vir a protestar contra sua estada aqui. Se os judeus que atacaram o estabelecimento do genocida não são nascidos no Brasil, deveriam ser expulsos, porque acolhidos aqui, querem desrespeitar as decisões do nosso governo e os códigos do país. Se são judeus nascidos no Brasil, nesse caso esqueceram-se de que deviam respeitar a sua pátria, e não se revelarem mais filhos de Israel do que nossos irmãos.

Essa é a realidade. Somente aos brasileiros compete protestar contra o genocida da Lagoa, e a ninguém mais dentro do Brasil. Aquele que o fizer está sendo atrevido e insolente, e terá que aguentar as consequências. Somos contra Cukurs e todos os criminosos de sua marca, da forma mais decisiva possível, mas nem por isso podemos deixar de reconhecer que os israelitas estão sendo atrevidos e insolentes, e que não podem tomar as atitudes que tomaram. E se são israelitas, mas brasileiros, então é porque não poderá o Brasil contar com esses cidadãos em emergência alguma. Serão sempre alienígenas, e estarão na posição dos outros.

Diante, pois, do que houve cabe ao governo adotar providências, encaixotar o genocida e mandá-lo de volta, não sem antes, porém, advertir aos judeus que não repitam as insolências. Isso aqui é Brasil, é bom que não se esqueçam.

Gazeta de Notícias, 14.08.1950

Na imprensa, as reações solidárias aos protestos são esparsas. "Residentes judeus do Rio estiveram na empresa de Cukurs, onde quebraram alguns calhambeques. Eles deviam ter quebrado muito mais", diz a *Imprensa Popular*. A maioria dos jornais ou se abstêm ou critica os "elementos israelitas", inclusive os três presos, por terem se aproveitado da hospitalidade da Cidade Maravilhosa para fomentar a desordem e atacar a propriedade privada!

Poucos mencionam a liberdade com que se tecem as redes de proteção nazistas na América do Sul. Um deles é o influente jornalista e escritor Raimundo Magalhães Júnior. "Como teria vindo para o Rio esse criminoso de guerra? Quais as facilidades que encontrou? Como obteve visto de 'permanente'?

Quem o protegeu e acoitou?", pergunta em sua coluna no *Diário de Notícias*, obtendo como resposta o mutismo das diversas instâncias burocráticas.

No dia seguinte aos estragos nos pedalinhos, Cukurs vai ao Segundo Distrito Policial. Apresentando-se como vítima de acusações infundadas, pede proteção e é encaminhado à Seção de Garantias de Vida da Delegacia de Vigilância. A proteção é concedida, mas a trégua nos trópicos – durou pouco mais de quatro anos – está encerrada.

Cukurs tenta reverter a situação, dá entrevistas e escreve aos jornais, alegando ser perseguido tanto pelos invejosos do seu sucesso comercial como pelo "comunismo internacional e local" por ter lutado contra os soviéticos que haviam ocupado seu país antes e depois da Segunda Guerra. Sem mencionar a soma transferida por via bancária para o Brasil, apresenta-se como um *self-made man* que em pouco tempo no país conseguiu uma pequena frota de trinta pedalinhos.

Também procura apoio entre os militares brasileiros que o acolheram e aplaudiram seus projetos de exploração comercial da Lagoa. Proclama sua inocência a quem quiser ouvir. Nunca ordenou que judeus fossem trancados numa sinagoga em Riga, nunca a incendiou, garante. Jamais ordenou o afogamento de 1.200 judeus num lago em Kuldīga. Não forçou prisioneiras a manterem relações sexuais com ele, como um sobrevivente declarou. E não poderia ter ordenado o assassinato de 10.600 pessoas na floresta de Rumbula, já que só aos alemães cabia determinar esse tipo de ação.

Dali a poucos dias, porém, o prefeito Mendes de Moraes revoga a licença de funcionamento dos pedalinhos, que são recolhidos aos armazéns da prefeitura, e do restaurante em fase de instalação na Lagoa. O Ministério da Aeronáutica cassa sua carta de piloto de recreio, o que o impedirá de tripular hidroaviões. Cukurs consegue então emprego na mesma Companhia Nacional de Navegação Aérea, CNNA, que o contratara nos primeiros tempos no Brasil, e se muda com a família para Niterói. Quando a empresa encerrar suas atividades, passará a revisar e reformar aeronaves no Aeroclube do Brasil, transformando pequenos monomotores em aviões flutuantes, o que parece lhe garantir capital suficiente para abrir, em 1956, um novo negócio em Santos.

> (...) O acusado contestou tudo. Afirmou estar sendo vítima de acusações infundadas, de uma vingança. E acrescentou ter enviado ao nosso governo um "dossier" completo, demonstrando não serem procedentes as acusações (...). Aconteceu, porém, que elementos Israelitas não se conformaram com a sua liberdade de ação e isso lhe fizeram sentir. Ameaçado, mas confiante nas leis brasileiras, solicitou garantias à polícia, que lhe foram dadas (...).
>
> *O Globo*, 14.08.1950

> Nós chegamos ao Brasil com alguns dólares no bolso. Para obter mais recursos fui obrigado a vender o último valor de que dispunha, minha máquina fotográfica Leica, com diversas objetivas, máquina que foi presente do próprio fabricante [...] e foi vendida para a Mesbla por intermédio do sr. Bojarsky pela importância de 8.500 cruzeiros. Esta foi a importância com a qual comecei uma nova vida, em um país cuja língua desconhecia, com modo de vida diferente, clima diferente, mas cujo povo nos acolheu com amizade, ajuda e com todo o coração.
>
> Entrevista à revista *Vanguarda*, 18.08.1950

15

Suspender uma paixão não se decide, Brígida, ainda que a gente tente, mas isso eu ignorava na manhã de 14 de agosto de 1950, uma segunda-feira, ao me deparar com a fotografia do Aviador na primeira página dos jornais. Confusa com os rumores, eu desistira de me aproximar do barracão da Lagoa; tentara confrontá-lo um mês antes, na última tarde em que o vi, e mal pudera falar. Tinha lido as acusações, e também as suas alegações de que era vítima de inveja e calúnia.

Quis perguntar quem ele era afinal, também não consegui. A raiva me fechava a garganta. Vou borrá-lo da memória, pensei, a verdade é que nunca o conheci. Apagar a face, os gestos, os sentidos aguçados, o brilho do último olhar – ou eram lágrimas? – sobre mim.

Madame Prates, que jamais entendera meu gosto pelas caminhadas, me mostrou a coluna "Presença de Mulher", no jornal *Correio da Manhã*, conclamando as leitoras a boicotar o "homem dos pedalinhos", nosso quase vizinho. "Não acredito que tenham vontade de apertar a mão deste homem, nem de lhe dar o seu dinheiro, nem de lhe confiar seus filhos!", dizia a colunista.

A lógica ordenava: a caça não se joga aos pés do caçador. Se indivíduos comuns aboliram seu julgamento moral e cometeram, ao aderir ao partido nazista, os piores crimes da História, por que não o Aviador? Os comandantes dos campos de extermínio davam flores às esposas e beijos de boa-noite nos filhos, lacrimejavam ao ouvir canções da infância. E se aquele homem tão à vontade na água como no ar tivesse disparado o tiro que matou papai e titio?

Há quem chame o acaso de fatalidade, e a fatalidade de sorte ou destino. A língua portuguesa tem a palavra mais bela: fado.

. 16 .

O acidente ocorreu num domingo à tarde: a noiva de João Afonso, o filho mais velho da família Prates, bacharel em Direito, bom orador em júris, morreu quando um caminhão jogou para fora da estrada o automóvel em que ela voltava de Petrópolis. A notícia abalou a sociedade carioca, a morte prematura – só ela, as duas irmãs se salvaram por milagre – pranteada em missas, nos jornais e na Câmara dos Deputados. Nos dias seguintes, João Afonso, um vendaval que costumava beijar a mãe com estrépito ao entrar na sala de jantar, sempre atrasado, com um processo na mão direita e um livro na esquerda, trancou-se no quarto, só abrindo a porta para pegar a bandeja com comida que a empregada colocava na soleira.

Ele custara a resolver-se pelo noivado, passara um ano estudando em Portugal, e provocava os pais: a liberdade é meu bem maior, discursava, preciso conhecer mais do mundo. Quando enfim decidiu casar, com a moça de família de políticos, o fez com o ímpeto que colocava em tudo. Que o destino o contrariasse parecia absurdo.

Madame Prates caiu de cama após o sepultamento e Frida foi convocada para consolá-la. Não com chás ou rezas, isso tinha de sobra: pedia à estrangeira que lesse trechos dos seus romances e poesias favoritos, autores franceses e portugueses que guardava numa pequena estante junto à escrivaninha. Não queria muita conversa, alegava enxaqueca e fingia dormir para dispensar as amigas carolas, as filhas e as sobrinhas que, em vez de acalmá-la, faziam-na soluçar ao recordar o convívio com a moça que não alcançara a graça de subir de véu e grinalda ao altar da igreja da Candelária.

Numa tarde de sol, véspera da missa de sétimo dia, a condessa aceitou que Frida abrisse as cortinas e pediu que batesse na porta do filho. Que ele viesse participar das leituras, ia servir-lhe de bálsamo. João Afonso lera Santo Agostinho e os gregos, mas tinha na cabeceira Castro Alves e Eça de Queiroz, e citava Voltaire para chocar as visitas – a mãe sempre disposta a perdoar-lhe qualquer travessura. Desde que não queira desmanchar a ordem natural das coisas, que faça os discursos que tiver vontade, isso passa, reagia o conde, pragmático. Aceitou ouvir a alemã, que falava um português perfeito, não fossem os *erres*. Na primeira vez, não prestou atenção. No dia seguinte, olhou-a pensativo.

Frida olhou de volta. Foram dez meses entre essa tarde de leitura e o pedido de casamento. Os pedalinhos e seu dono tinham desaparecido da Lagoa. Era o início da sua segunda vida, conta à neta.

17

O namoro com João Afonso se deu às escondidas, ele enfiando bilhetinhos embaixo da minha porta e me levando a passear de carro aos domingos. Avenida Niemeyer, Alto da Boa Vista, Floresta da Tijuca – o Rio se multiplicava em recantos para casais. No primeiro dia em que me beijou, fechei os olhos e beijei o Aviador – durou um quase nada, no instante seguinte, com raiva, esmaguei o sentimento. Tinha mãos belas, João Afonso, as unhas cuidadas por manicure, gostava de usá-las. Ao me abraçar as pernas, enfiando o nariz entre meus joelhos, foi o Aviador quem me abraçou. Ele me agarrava, sugava o pescoço, deixava sinais roxos; arfante, ia do extremo romantismo à irritação pela minha recusa em aceitar que fizéssemos o que fazem dois adultos, acusando-me de não parecer uma europeia evoluída.

Por que não vamos até o fim?, perguntava. Não, querido, eu pensava. Não confio na sua voz autoritária, no relógio pendurado sobre a calça, no brilhante da gravata, no gesto displicente com que abre a cigarreira de madrepérola, no orgulho de senhor eternamente atrasado para o jantar. Da sua inteligência, gosto muito, e também das gargalhadas, mais ainda gosto de como você me afasta do mundo de ontem e me abre portas fechadas.

Mas a experiência que me falta não se aprende da noite para o dia e você, o oposto do bom menino de Berlim, me dispensará no dia em que se sentir meu dono.

Tínhamos a mesma idade, mas ele se sentia protetor, o céu e a terra serão seus, eu prometo, ó rosa de Sharon, ó bela hebreia, e eu sorria. O que vai ser de mim, se você me privou da razão?, perguntou, meio de brincadeira, meio a sério, na noite em que propôs ficarmos juntos para sempre. Ele gostava de se ouvir, eu gostava de ouvi-lo. Para sempre não existe no meu universo, respondi, mas aceito construir o presente com você. Quando fez a proposta, afaguei-lhe os cabelos negros, prometendo a mim mesma manter a serenidade e ser-lhe fiel. Construir uma vida a dois na alegria e na tristeza, na saúde e na doença. Cada palavra tem seu peso, sua conveniência. Para ele, eu simbolizava o desafio na justa medida, o agravo discreto que não implicava mudança de vida ou renúncia mundana; para mim, ele era o cavaleiro que me salvaria do lugar subalterno de moça pobre obrigada a trabalhar em casa alheia.

18

Minha vida tinha se estabilizado, cercada das crianças da família Prates de Souza, o que incluía sobrinhos e agregados, a quem eu ensinava línguas e boas maneiras e que acompanhava ao cinema, ao balé, às festas. Crianças que cresciam bem penteadas, bonitas e voluntariosas. Gostavam de me ouvir. Tocava piano para elas, falava da vida de Beethoven, encantava-os com o Mozart menino, as lojas de Berlim, os trens que nunca se atrasavam. O metrô cruzando a cidade sob a terra. A berlinense de humor sutil também fazia com os brasileirinhos o percurso do parque amado, antiga área de caça dos príncipes da Prússia, folhas vermelhas no outono, branco de neve no inverno, lago de cisnes silenciosos. Ah, os cisnes. Vocês sabem que eles só emitem sons quando estão próximos da morte?

A convivência com os Prates afinara meu português. A família ouviu ao meu lado os informes da BBC e os discursos de Churchill durante a guerra, prendeu a respiração quando o exército nazista se aproximou de Paris – 220 quilômetros, 110 quilômetros, Arco do Triunfo –, saltou de alegria com a entrada dos americanos em Florença, tremeu quando a Alemanha, acuada, declarou "guerra total" em 44. No dia em que o locutor da rádio

Nacional deu enfim o grito da vitória – "Deixou de existir desde ontem o Terceiro Reich" –, gritamos todos, eu mais contida que os outros. Habituada às expansões brasileiras, às lágrimas fáceis, madame Prates elogiou-me a compostura.

Poucas vezes esqueci o comedimento. Uma delas, na chegada ao Rio dos soldados que haviam lutado na Itália. Fui com os primos e Helga recepcioná-los no Cais do Porto, éramos milhares de pessoas acenando bandeirolas e cantando. Saltamos do bonde e seguimos a pé da rua Larga até a Praça Mauá; não houve quem não se emocionasse com a aproximação dos navios, toda a tropa no convés, a baía ao fundo. Em terra, cercados por um cordão de escoteiros, os soldados entoavam a canção, entre prantos e risos: "Você sabe de onde eu venho? Venho do morro do Engenho, das serras, dos cafezais." Quando na curva da rua Primeiro de Março, em direção à Praça XV, surgiu uma imensa bandeira nazista, a suástica esticada pelas pontas por quatro soldados, foi difícil segurar a multidão. As pessoas choravam, gritavam, todo mundo queria cuspir no inesperado troféu.

João Afonso fazia poucas perguntas sobre a vida antes da guerra, e guardava as respostas. Nunca foi de remoer o que chamava de assuntos despachados e minha família não o interessava; manteria com Helga e os primos relações amistosas porém protocolares. As mãos nos meus cabelos acendiam então meu desejo, mãos de homem, ávidas como eu nunca provara e donas de um tempo que não coubera ao Aviador nem aos rapazes – poucos, tímidos – com quem eu saíra desde a chegada ao Rio. João Afonso, recendendo a loção pós-barba, tinha o vigor impaciente de quem se acostumara a ser obedecido, mas se esforçava para ser suave. Às vezes me dava lástima porque ele, tão senhor de si, jamais seria senhor de mim. Nunca gostara da noiva de maneira tão intensa, jurava, nunca fora tão obcecado por uma mulher como era por mim. Eu quase tinha vontade de defendê-lo, tão inteligente e tão desamado, incapaz de encontrar uma adoradora à sua altura.

Tudo em mim o agradava, o excitava, das pernas bem torneadas aos erres puxados, e avançava em direção ao que queria; apreciava o nariz levemente adunco, até. Minha irmã advertiu: não permita que vá até o fim, no dia em que acontecer deixará você. Fiz tudo conforme o figurino da época, recuava e me rendia, cedia um pouco e recuava, as mulheres brasileiras se casavam virgens em 1950. Acho que Helga se enganava, porém, ele ia me querer de qualquer jeito, eu era seu grito de alforria, a prova de que podia eleger livremente suas alianças. Veja o que escreveu depois que ameacei saltar do carro diante de uma investida mais forte dele. Em letra nervosa, a tinta azul da Parker 51 não furou o papel fino por um triz:

Meu querido anjo,

Nos últimos dias, venho pensando muito em você. A sensação é de que você está no meu coração de um jeito que mal posso definir. A racionalidade abandona os apaixonados, disse um poeta, e peço perdão se de alguma forma a assustei. Não foi minha intenção, juro. Existe um conflito entre o que sinto (sentimento que me toma as horas de vigília) e os deveres habituais. Trabalho pouco, não usufruo a companhia dos amigos. Espero que você sinta por mim metade do que eu sinto por você. Não, minto. Sinta um décimo, querido anjo, e serei feliz. Se me aceitar, perdoando-me os arrebatamentos, voltarei a ser o homem lúcido e sereno, seu amigo mais leal, o mais digno de afeto, o mais capaz de dar a você o que quer que me peça.

Seu JA.

Aceitei.

Não, minha querida, não foi um casamento apaixonado, ao menos da minha parte, por isso deu certo. Não temi a obsessão de João Afonso por mim, nos primeiros anos, nunca o confrontei por ter procurado outras mulheres depois que a cama se tornou um campo de tédio. Ai, Brígida, já sei que você gostaria do lugar-comum, mas o verbo amar foi ele quem conjugou, e só no início. Prefiro a loucura à indiferença, me disse um dia, e não se desculpou por ter se desinteressado por mim. Jamais se desculpava. A alemã que o tentara desapareceu aos poucos, deixou de ser o fiapo de incongruência no mundo da família dele; passada a novidade, tornei-me a esposa irretocável que é dispensável seduzir.

Que mulher sem fortuna não sonha em subir meia dúzia de degraus? Casar com um dos judeus que frequentavam a casa dos tios me parecia intolerável, ainda que um ou outro pudesse oferecer conforto a alguém que já passava da idade. Esse iletrado, aquele arrogante, esse de dentes podres, aquele mal-humorado.

Sepultar o passado se tornara minha ideia fixa, e eu enumerava os defeitos dos candidatos estrangeiros. Você vai muito ao cinema, declarou uma noite a tia, quer um galã!

Eu sonhava com a paixão, a tia entendera, e paixão é miragem, como sabem os adultos. Na falta dela, não custei a optar pelo que era palpável. O cisne é capaz de passar a vida inteira no lago onde nadam outras espécies.

A recompensa foi a estreia na segunda vida, ao lado de um João Afonso elegantíssimo, lenço perfumado no bolso do paletó, relógio de ouro, brilhante na gravata de seda; naquela noite, até o anel de formatura ele usava. Com minha volta de pérolas ao pescoço – ainda não eram as cultivadas que ganharia após o nascimento das gêmeas – entrei no salão com vista para a enseada de Botafogo sem demonstrar a insegurança que sentia. Convidado para uma festa de apresentação à sociedade carioca de *Retrato de Zborowski*, tela de Modigliani recém-comprada por uns ricaços e doada ao Museu de Arte de São Paulo, ele aproveitou a ocasião para me introduzir como futura esposa, a bela mulher de cabeleira loura e olhar translúcido diante da qual os homens se desmanchavam em elogios (à minha pessoa) e exaltações (à coletiva capacidade germânica de recuperação), esperando que eu agradecesse de maneira polida. Amestrada, eu tinha me tornado perita em sorrir e dizia "sim" sem dizer nada. As mulheres, essas me olharam sem palavras – ostentavam modelos da Casa Canadá e etiquetas francesas, e eu, um vestido azul de costureira.

Aquele foi o primeiro dos muitos eventos autocongratulatórios dos quais participei ao longo dos anos. A obra do mestre italiano agora pertencia ao Brasil "graças à iniciativa de um punhado de homens em que caminham juntos a generosidade e o bom gosto, ademais do patriotismo", como discursou um embaixador grisalho, óculos de aros dourados, que tinha a língua levemente presa e faria um muxoxo de desprezo se soubesse que o pintor gostava de se apresentar como "Modigliani, judeu" e jamais se curvava aos bons modos burgueses, só se sentindo à vontade entre outros estrangeiros iguais a ele.

Mas naquele momento não me incomodavam Modigliani, *meine lieber*, nem sua miséria no fim da vida, infinitamente mais cruel que as horas desconfortáveis em salões requintados. O que me incomodava eram os fatos e suas consequências. A imprensa brasileira não publicou os documentos que podiam confirmar ou desmentir as acusações ao Aviador. Por um lado, não havia provas concretas. Por outro, relatavam pormenores que me provocavam medo. Medo dele e de mim, medo de jamais vir a saber quem ele era. Para respirar de novo, era preciso esquecer.

Da primeira vida, pouca coisa material guardei: as pérolas, o cordãozinho e um par de brincos de ouro, o espelhinho emoldurado em prata, meia dúzia de lenços bordados e a caixinha de música da qual saltava a bailarina cor-de-rosa. Na prateleira mais inacessível, longe da curiosidade alheia, junto com as bugigangas ficou a Frida H., filha do Dr. Ludwig; a Frida H. que planejara estudar Filosofia em Berlin; a Frida H. apaixonada pelo Carniceiro de Riga.

Ou eles se enganaram e o Aviador nunca foi o Carniceiro de Riga?

A mãe não conduziu o filho querido até o altar – o conde e a condessa recusaram-se a participar da cerimônia civil, seguida por um grande almoço, que selou nossa união. Frida H. não era nome suficiente para se transformar em Prates de Souza, e eles protestaram em silêncio, atribuindo o casamento à desrazão em que João Afonso vivia desde a morte da noiva. Só perdoaram a intromissão da preceptora, da estrangeira, ao batizarmos as gêmeas, uma decisão de meu marido com a qual concordei. Gestos sociais, documentos do mundo ao qual eu agora pertencia. A condessa me presenteou então com um relógio de ouro delicadíssimo e caro: dar-lhe corda foi durante anos meu primeiro gesto das manhãs, a garantia de domar o tempo.

A única providência que tomei para o batizado foi não avisar minha irmã, os primos, os tios; nada publicar nos jornais. O que Ernst diria, se soubesse? Ele tinha se mudado para Porto Alegre, e nos correspondíamos. Pois o anúncio teria sido motivo de recriminações e tristeza, veriam na minha atitude uma submissão descabida. Preparativos, roupinhas, padrinhos, a família de João Afonso cuidou de tudo. Não lembro o que senti quando o padre borrifou água na testa dos bebês. Roma e Jerusalém tinham o mesmo significado para mim: nenhum. Se o gesto nada significa, é fácil ignorá-lo. Sorridente, gelada por dentro – hoje a cena me provoca arrepios, mas perdi a conta de quantas vezes agi como naquela manhã.

Vivíamos bem instalados na avenida Atlântica, o mar me entrando pela janela, o ar luminoso do qual nunca me cansei, a prataria no salão, os quadros de artistas brasileiros gratos ao advogado que lhes dispensava os honorários cobrados a políticos e banqueiros. O reconhecimento alheio tranquilizara o casal Prates de Souza e fui readmitida ao convívio da família. Voltei a subir a serra, a caminhar entre os chalés de nomes alemães e franceses. Sem pinheiros no jardim, deleitava-me com o que podia: árvores que não perdem as folhas no outono nem jazem como mortas no inverno, e ainda buganvílias, roseiras, dracenas, damas-da-noite. E também um casal de sapos vira-latas – a roça urbana. No interior da casa, a sala forrada de madeira se transformava em biblioteca, e na cadeira de balanço, as pernas dobradas, eu sentia aromas inexistentes enquanto na cozinha as negras cantavam, preparando almoços a serem aclamados pelas visitas.

Você enxerga aqueles pedalinhos novos, os pescoços de cisne, *meine lieber*? Tão brancos. Frágeis, ridículos, diferentes dos construídos pelo Aviador. Outro dia um casal de namorados quase afundou num deles, assisti na televisão. A paisagem, essa sim, é a mesma que se descortinava do quarto da condessa, e não me importa estar no oitavo andar, também não me importa que a mansão tenha sido derrubada. Ficaram os jasmins, você sente o perfume? Não me orgulho do sobrenome na fachada, nem das joias que vocês guardaram bem guardadas, só preciso do que vejo lá fora, as amendoeiras, as crianças correndo na Lagoa, o céu estrelado dessa cidade livre. Viu como tenho sorte?

19

Foi em setembro de 1956 que conheci Clara. Inesperado presente, sopro de vida real entre as miudezas da realidade elegante. O velho alfaiate da família Prates, doente, tinha se retirado dos negócios sem deixar herdeiros, e meu marido quis experimentar o trabalho de um judeu jovem, bem recomendado, que cobrava menos do que valiam seu acabamento esmerado e seus bons tecidos. O motorista tinha sido dispensado naquele dia por João Afonso, e Waldemar, o alfaiate, telefonou dizendo que entregaria antes do almoço a encomenda, um terno risca de giz. Quem tocou a campainha foi Clara, às onze horas. Deixei-a esperando no vestíbulo por uns dez minutos. Quando me aproximei, encontrei uma mulher ainda jovem, nem bonita nem feia, miúda e magra, segurando no colo o embrulho de papel cor-de-rosa, e por cima dele um livro aberto: Rilke, poemas em alemão de amor a Deus.

Trocamos meia dúzia de palavras. Gosto de Rilke, tenho algo dele na estante em português, não leio alemão, comentei. Meia verdade temerária, pois o sotaque me denunciava, mas ela só retrucou que Rilke era um de seus poetas favoritos, dele apreciava as imagens, as descrições da vida cotidiana, os momentos místicos. Ofereci-lhe uma xícara de chá, que tomou rapidamente, e contou que era de Varsóvia, estudara literatura e fizera teatro amador antes da guerra. Abriu o pequeno volume e retirou uma folha de papel de carta que me estendeu. Estou traduzindo algumas poesias, ainda me confundem os verbos em português, mas é um bom exercício, a senhora não acha?

Não me chame de senhora, respondi, apenas leia para mim essa página que você abriu. *Ich bin auf der Welt zu allein*, começou ela, no idioma que cometeu os crimes, o idioma que repudiei, e em seguida, como se adivinhasse o pedido na ponta da minha língua, passou a ler em português. "Eu sou tão sozinho no mundo, mas não tão sozinho, eu sou tão pequeno no mundo, mas não tão pequeno..." Que mão protetora salvava o poeta do desamparo e da insignificância? A divina, por certo. Quisera eu me consolar assim, possuir a crença em um poder sobre-humano capaz de me guiar através da solidão, falei em voz muito alta. Mas creio em acasos, os bons e os maus. Clara me olhou fixamente, levantou-se como se quisesse ir embora, sentou-se de novo. Da cozinha vinha o som do rádio, um programa popular, cantoras disputando um prêmio, e no sofá do vestíbulo estava o jornal que falava de alta de preços e risco de greves, a palavra "crise" repetida como uma sombra a pairar sobre os brasileiros desde o suicídio de Getúlio Vargas.

Era o início da grande amizade, a inesperada afinidade eletiva, ela a interlocutora paciente, nunca espelho, tornando o universo mais habitável.

O novo alfaiate também confeccionava camisas sociais – impecáveis, ou João Afonso não as usaria – e por causa delas fui pela primeira vez à sua loja. Dispensei o motorista, tomei o bonde. Quero encomendar umas camisas de popelina, iguais às masculinas, disse a ele, que chamou a mulher para tirar minhas medidas na tarde quente. Brancas, ou listradas em tons de azul, comprimento um pouco acima dos joelhos, para ir à piscina, é a última moda, o senhor sabe? Não, não sabia, e mal olhou as fotografias da revista francesa que abri para lhe mostrar o que queria.

Reparei nas mãos longas de Clara, que se interrompiam em busca de um lencinho para enxugar o suor da testa enquanto manipulava a fita métrica. O ventilador da alfaiataria, pesado e barulhento, não lhe aliviava o calor. Busto, largura dos ombros, cintura, braços. Colarinho, o detalhe vital que mostra a habilidade do artesão. Não era costureira, me informou, pouco entendia de linhas e agulhas, mas às vezes ajudava na máquina de casear e pregava botões. Camisas macias ao toque, usei em incontáveis verões, rasgaram-se de tanto ser lavadas.

A partir da primeira prova de roupa, passei a ir com regularidade à alfaiataria; uma vez por mês, ou a cada dois meses. Conversávamos, trocávamos livros, depois eu convidava Clara para almoçar na Colombo, lanchar na Cavé. Quando não tinha contas a pagar nem encomendas a entregar, aceitava, e era uma festa regada a guaraná. Comíamos com gozo: coxinhas de galinha, quibes, rissoles de camarão, nunca pratos que exigem garfo e faca, e terminávamos nos deleitando com mil-folhas e tortas de maçã. Engordei um quilo hoje, eu lhe dizia antes de voltar para casa, mas quem se importava com um quilo?

Parecíamos duas comadres em diálogo banal – eu a bela de pulseiras de ouro, *chemisier* de seda, cuidadosamente maquiada, ela a de traços cansados, correntinha fina no pescoço, vestido de algodão rodado, um leve batom nos lábios. Nossas conversas, contudo, não eram apaziguadoras, não falávamos de crianças nem do preço do leite, nunca trocamos uma receita. O tempo dia a dia me devora, eu recitava o desconsolo junto com o lanche, e perguntava o que ela acharia se me inscrevesse numa faculdade. Quero estudar, você acha que passei da idade, Clarinha? Ela respondia com olhar sonhador, não, querida, é claro que não.

As meninas cresciam, eu viajava, recebia gente importante, ia uma vez por semana à costureira, a máscara sempre afivelada. Acreditava ter esquecido as fileiras de mortos. Ao completarem 18 anos, as gêmeas me disseram, em conjunto, que não entendiam por que eu parecia carregar um peso. Ainda incapazes de compreender que eu as educava – a educação sentimental que se faz com poucos afagos – acreditavam que a mãe não tinha direito ao desalento; desconheciam que o dever do contentamento é uma sujeição como outra qualquer.

Waldemar achava graça em nossa proximidade. Eu o agradava enviando-lhe doces em compota, ele era louco por tudo o que fosse doce. Sabia ser teimoso, o alfaiatezinho, não recuava se tivesse uma certeza. Não admitiu que Clara consultasse um medalhão que sugeri, em São Paulo, quando começou a fraquejar com a doença que ninguém queria nomear, furioso porque ofereci pagar a passagem de avião e viajar com ela. Não preciso de favores, disse. Dez horas por dia na alfaiataria, cortar, provar, consertar, cortar de novo, pespontar, provar mais uma vez, conversar com a freguesia, elogiar-lhe o gosto, consertar, ajustar, alargar, comprar novas máquinas – para alguma coisa serve tudo isso. Clara ia se tratar com o médico de confiança deles, um humanista, e que não se falasse mais no assunto.

20

Às seis da tarde, o sino da igreja vizinha, os passos no corredor e o rangido do elevador confirmam para Clara que é hora de encerrar o expediente sem esperar Waldemar. Entre linhas, agulhas e o conserto do mundo, o marido vive dias dolorosos – não aprendeu a remendar as fissuras do sonho. Depois que o secretário-geral do PC soviético, Nikita Khrushchov, criticou Stalin por sua "intolerância, brutalidade e abuso de poder" em documento que devia ser secreto, mas ganhou as manchetes, as más notícias vieram em avalanche.

Antes fosse uma invenção da CIA o relato de que a utopia igualitária se transformou no regime que exilou centenas de milhares de pessoas e executou outras tantas, entre elas médicos e escritores judeus, revolucionários de primeira hora acusados de espionagem e traição. Julgamentos sumários, pogroms revividos. Parte das noites, nos últimos tempos, ele as passa na sala, lê até os olhos arderem, pensa na decisão que lhe custa tomar. Não quer seguir, por enquanto, os conselhos dos parentes de Clara: "É hora de recuperar valores, jogar fora ideias que só na aparência eram novas."

O tio recebeu a informação de que uma prima da Polônia, dada como morta, está em Israel desde o final da guerra. Quem sabe sobreviveram outras pessoas da família? Diante da pergunta animada de Clara, a reação do marido foi azeda. Quem morreu está bem morto e mal enterrado, disse, e pela primeira vez em tantos anos de casamento ela saiu do quarto batendo a porta. Você tomou sua decisão, Waldemar, escreveu então no caderno dele, a letra redonda. Só falta informá-la a si mesmo e aos companheiros e marcar este 1956 que se aproxima do fim como o Ano Um da extinção de uma fé.

Waldemar mais uma vez não vai chegar a tempo de fechar a loja, metido em alguma reunião política, cabe então a ela dispensar os ajudantes (são dois, o negócio prospera), passar o cadeado na porta, certificar-se de que a luz está apagada. Espera sozinha o elevador e sozinha toma o bonde no Largo de São Francisco, suporta o olhar atrevido dos demais passageiros, desce na esquina da Machado Coelho, palmilha a calçada esburacada, sobe os dois lances de escada até o apartamento e abre as janelas para deixar entrar o ar e, com ele, o aroma de cebolas fritas.

Sozinha, a cabeça explode em faíscas. Waldemar terá que procurar na geladeira a carne moída que sobrou da noite anterior, quando outra reunião o reteve na rua até tarde, pois ela vai tomar dois comprimidos e dormir. Ah, se pudesse desaparecer por uns dias, abandonar essa corrente infindável, esquecer a busca por justiça que parece tomar todas as horas livres de Waldemar, mergulhar na cama nova do apartamento que estão comprando... O marido provavelmente tem razão, que os mortos do velho mundo nos deixem em paz, as irmãs não voltarão. Que ele próprio enterre os derradeiros fantasmas, e não se arrependa quando for condenado ao isolamento pelos que insistem em crer na utopia. Enche o copo d'água no filtro de barro sobre a pia encardida, espreme algumas gotas de limão, molha a garganta seca. Conseguirá limpar a sujeira dessa pia?

E Frida, tão elegante, tão misteriosa, por que terá mentido que não lê alemão?

21

Abençoado seja o Eterno que nos ensinou que não precisamos ser virtuosos para receber Suas recompensas, Iosse proclama a propósito de um conhecido que pediu concordata, deixou meia dúzia de credores indignados e emigrou para Israel. Você fala em causa própria, Rosa ri, quase carinhosa. Quem contou a você que o Eterno ensinou isso?

Aos poucos perde o hábito de fixar o olhar no vazio e já não treme de frio depois dos banhos de mar no Leme, como nos primeiros tempos. A grande pedra onde se juntam os pescadores, no canto da praia, queima os pés, homens de pernas cabeludas falam coisas que ela não entende e riem mesmo se as redes e os anzóis voltam vazios. Quando há peixes, é uma festa com crianças e cachorros ao redor; os homens acendem cigarros fortes e a examinam enquanto ela se afasta com as duas meninas. Aprendeu a aconchegar-se numa toalha amarela que estende na areia, e o calor custa a sair do corpo. Não acreditaria se alguém lhe contasse, no fim da guerra, que um dia se sentiria confortável na própria pele, a luz encobrindo o vale de sombras. A areia fina escorre entre os dedos e o vendedor de limonada, mulato jovem que percorre a praia com um botijão, a diverte com mesuras em troca de centavos. Faz dez anos que chegou ao Rio, faz dez anos que a primeira vida ficou para trás.

Iosse tem outra mulher – *amante* é a palavra que os jornais usam ao relatar crimes e desgraças – e na companhia dela passa uma parte das noites.

Jamais as de sábado e domingo, a família é sagrada. Rosa não é boba de fazer um escândalo. Esposas que armam ciladas, maridos que dão tiros, amantes que colocam formicida no café, nada disso combina com ela. A verdade é que pouco se importa. Que Iosse não a segure com suas mãos peludas, um alívio. Que não se aproxime dela com o corpo suado, um alívio maior. Nada falta às meninas ou a ela na terra do sol. Não é para se vingar que dá o troco a Iosse. É para dar um gosto a si mesma.

Como você tem coragem? A pergunta de Clara a incomoda e, por um breve instante, Rosa se arrepende de ter contado. Ceda um fio de cabelo ao demônio e ele pedirá tudo, ameaça a amiga. Mas o peito estoura, incapaz de guardar outro segredo – basta uma Sofia Esperanza na vida.

Conheceu no centro da cidade, esbarrão ao acaso, ambos saindo de uma agência bancária, o advogado de sorriso de dentes brancos na pele morena, brilhante na gravata, abotoaduras de ouro com as iniciais JA, que parece sempre satisfeito e a enche de mimos inesperados. Perfumes, roupa íntima de renda francesa, rosas vermelhas, até um livro de poesias, capa negra com filigranas douradas, ele lhe deu. A cabeleira ruiva de cachos mal domados já tem fios brancos, a cintura engrossa, os dias são curtos. Por que não?

Não é preciso coragem, basta o desejo, responde. Desejo de saber o que um homem quer, de tirar a roupa às duas da tarde num apartamento mal iluminado, e de sentir cócegas quando ele percorre meus pés com a língua – a amiga leva um susto, é a primeira vez que ouve Rosa em confidência. Então é para isso que servem as amantes, e você é uma amante! Waldemar nunca me lambeu os pés em dez anos de casados.

Clara e Waldemar se mudaram para um apartamento no Flamengo e Rosa descobre a bandeja de papelão com os doces que trouxe para brindar, brigadeiros com o melhor chocolate, quindins amarelos que desmancham de tão macios. Ganhou muitos quilos que a amiga finge não perceber e declara ter enjoado da cozinha, comprou tudo na confeitaria que a encanta desde a mudança para Laranjeiras, junto ao clube onde as filhas aprendem a nadar. Se a gula é mesmo um pecado, sou pecadora, diz. Nunca vi você tão feliz, admira-se Clara. E as meninas? Felizes também, voltam famintas da piscina, os cabelos verdes de cloro, pulando entre as palmeiras da rua, estão na aula de inglês, Iosse consegue pagar tudo e ainda sobra, conta Rosa.

Se eu não fizer por mim, ninguém fará, encaixa a frase bíblica como lhe convém. Lembra quando tudo me inquietava?, pergunta. A vida era feita de medos. Ainda alisa a saia de algodão, o gesto nervoso, mas agora aprendeu a caminhar no fio: não olhar para baixo nem para cima. Meu receio é que elas percebam alguma coisa, eu morreria, sussurra. E se Iosse...?, a pergunta de Clara sequer se completa. Ele não vai fazer nada, esse marido que Deus colocou no seu caminho. Se a encontrar de batom vermelho e saltos altos toc-toc-toc a caminhar pela Cinelândia, ao lado do advogado, fingirá que nada viu, o sonso. É homem sem luzes, mas tem suas certezas, e uma delas é que Deus não nos quer santos. Somos o que somos e Ele nos perdoará no final.

É cômodo dizer que Deus perdoa. Ele não presta atenção, só isso, somos pequenos demais, Clara pensa. É para dar um gosto a si mesma, não a Ele, que, após a saída de Rosa, acende as velas do *shabat* e coloca as mãos sobre os olhos: que as chamas iluminem as almas dos mortos queridos, dos filhos não nascidos, e também a vida da amiga destemida e os caminhos do Waldemar que nunca lhe lambeu os pés.

22

Quando as gêmeas tinham seis anos, foram a Buenos Aires conosco pela primeira vez. Atravessamos o rio da Prata para Montevidéu, encontramos amigos de João Afonso numa estância, cavalgamos éguas mansas. A vida amena.

Buenos Aires, 14 de maio de 1958.

Clarinha, querida, espero encontrar-te feliz. Aqui, o outono está glorioso, as ruas da Recoleta cobertas de folhas. Confeitarias maravilhosas, compras ótimas. Já estão na mala uma bolsa de crocodilo e dois pares de sapatos de pelica tão macios que dá vontade de a gente se acariciar com eles. Para você, levo chocolates, e dois livros de uma poeta que se matou por amor. "Vou dormir", ela escreveu antes de entrar nas águas de Mar del Plata e caminhar até ser tragada pelas ondas.

A imprensa fala em heróis e aviões, por conta de alguma data cívica. Os argentinos comemoram por estes dias uma vitória militar contra a Espanha, e fomos convidados para uma celebração num clube. *Viva la patria*, disseram os fardados ao brindar. Se isso não fosse a América do Sul, eu tremeria. A verdade é que tremi um pouco. Ouvi alemão no salão, falado por senhores que não quero imaginar como vieram parar aqui. Em momentos assim, de sobressalto, ouço a voz de papai.

Fora isso, tudo vai bem.

Beijos, saudades, sua amiga, Frida.

Pouco depois, fomos a Santos de carro, seu Narciso ao volante. A família Prates mantinha perto do porto um escritório ligado ao negócio do café, mas eu nunca tinha ido lá, e ele insistira, queria me mostrar também a casa que um dos irmãos construía no Guarujá e que seria o pouso de parte da família nos verões seguintes.

O contador da empresa nos levou para almoçar na Ponta da Praia, um restaurante tradicional de peixes, e eu brilhava mais que os cromados do automóvel naquela manhã. Ruge nas faces, chapéu de ráfia, sandálias altas realçando as pernas. Depois do almoço, o homem nos guiou pela orla e parou em frente ao Aquário Municipal, apontando um hidroavião que fazia voos panorâmicos, pilotado por um estrangeiro louro e seu filho. Vinha gente de longe para experimentar o Republic RC-3 Seabee, fabricado em 1948, contou, e os santistas, orgulhosos, se reuniam ao redor dele, gabando-se do seu pioneirismo, porque já na década de 1920 levantava voo da praia do Gonzaga um teco-teco pilotado por um americano.

João Afonso ficou entusiasmado e quis voar imediatamente – adorava aviões, tinha na estante meia dúzia de livros sobre voos épicos e uma pequena coleção de modelos de caças da Segunda Guerra. Fez meia dúzia de perguntas ao contador, que elogiou os cuidados do gringo. O senhor imagine que limpa os pés dos passageiros com uma vassourinha, antes de embarcarem, porque diz que a areia da praia é corrosiva para o piso do aparelho.

Tiramos os sapatos, nos aproximamos devagar pela areia dura, as meninas correndo na frente. O restante da história, minha querida, você adivinhou. Eu estava de novo diante do real mais denso que a realidade, da falta que não se preenche. São suas?, o Aviador perguntou em voz baixa, enquanto João Afonso batia nas asas com as pontas dos dedos e falava sobre a originalidade do hidroavião de hélice e motor voltados para trás. Sim, são minhas, essas duas crianças morenas que nunca correrão para os braços do avô nos parques de Berlim. Não, não quero voar, respondi a João Afonso que já subia a bainha das calças para entrar na água e pular na cabine do avião com a confiança dos que jamais se sentiram acuados. Os dentes brancos do meu marido, sua animação, seus cabelos negros, cabeça, tronco e membros que eu não desejava. E se ele desaparecesse num passe de mágica?

Da areia acenei para o avião flutuante. Parecia tão frágil. Talvez houvesse um acidente – ele e o Aviador, juntos – e aí eu poderia ganhar uma terceira vida. À beira-mar, com certeza. Mas o que faria dela?

Santos, 10.07.58.

Querida Clara,
Envio-te este cartão para contar que estamos bem e dar-te um abraço especial. João Afonso sobrevoou de hidroavião

as praias da baía de Santos. Não foi uma grande aventura, mas tornou-se para mim inesperada, e prenda a respiração para o que só posso contar pessoalmente.

Carinhos da amiga, Frida.

Retornei ao hotel com as meninas e aguardei. O gringo é cuidadoso, nunca teve um acidente, foi o primeiro comentário do meu marido ao regressar e beijar as filhas com estardalhaço. Me mandou limpar os pés com a vassourinha, e conhece todos os recantos da baía. Acho que o reconheci, informei quando ele finalizou o relato das maravilhas geográficas. É o mesmo homem que tinha os pedalinhos na Lagoa. Destes, João Afonso lembrava, embora neles nunca tivesse pisado. Não fazia a menor ideia de quem era o Aviador, contudo, e contei a história como se tivesse acabado de ler os recortes escondidos no fundo do armário há oito anos.

Como é que você sabe de todos esses detalhes?, perguntou, perplexo, sem esperar resposta, já atendendo ao telefone, já falando dos preços do café e explicando a um dos irmãos que valia a pena experimentar o hidroavião, um modelo de engenharia aeronáutica, na próxima vez que viesse à cidade.

23

Mar e lagoa, chaves do paraíso. De mim você herdou o prazer de nadar, mergulhar e velejar. Foi em Cabo Frio, Brígida, que aprendeu a respeitar as águas e os ventos, a apreciar os mormaços e as estrelas. Na grande casa branca, janelas azuis, eu a desafiava para partidas de buraco nas noites de verão, sem permitir que ganhasse. Você perdia sem protestar, gostava de aprender. Nada podia ser fácil demais. Seu irmão e os dois primos inventavam desculpas para não sentar-se conosco, corriam para jogar pingue-pongue com os vizinhos e ao voltar vasculhavam o céu da luneta instalada na sala. A vida é generosa se a gente entende como funciona – expliquei isso aos quatro netos, mas só você prestou atenção. Só você merece que eu conte.

As chuvas no fim da tarde lavam a terra e os pecados, minha querida. Ainda sinto o aroma. Água que vira sal, pele coberta de fino pó branco, gosto de maresia, o que se pode querer mais? Quando for a Cabo Frio, leia as revistas velhas, use as louças lascadas e os copos trincados que interrompem o tempo. Se eu tivesse direito a um único pedido, escolheria ver Clara de novo junto às salinas, protegendo os olhos com as mãos. Você teria gostado dela. Hóspede nos dois primeiros verões da casa, tudo cheirava a novo e ela assava bolos de chocolate para sua mãe e sua tia, que em troca faziam silêncio durante suas longas sestas. A doença a deixava cansada, e dormitava na espreguiçadeira da varanda. Sim, eu a mimava, colocava na vitrola os seus discos prediletos e sobre a mesa as compotas de maçãs, ameixas, pêssegos – entre as paredes caiadas beliscávamos o outro hemisfério.

24

Em 1956, o Ministério da Aeronáutica devolve a Cukurs a Carta de Piloto cassada. Longe do noticiário, ele se transfere de Niterói para Santos, onde montará um bem-sucedido negócio de aluguel de pedalinhos e hidroavião, com o apoio do filho Gunnars, piloto, construtor e mecânico de motores que herdou sua perícia. O incômodo em torno de sua presença parece ter sido engavetado com os memorandos do Ministério da Justiça que mencionavam investigações, nunca realizadas, sobre sua entrada no Brasil.

Embora seus pedidos de naturalização tenham sido rejeitados, Cukurs está seguro no país. Ele e a mulher registraram um filho brasileiro, o temporão Richard, nascido em 11 de julho de 1955, o que, de acordo com a legislação, impediria sua extradição, caso esta fosse solicitada. Solicitação improvável: a Letônia é há dez anos território da União Soviética, que tem outras prioridades.

Dez anos antes chegou ao Brasil, dez anos antes deu às autoridades de imigração como primeiro endereço a rua São Cristóvão 263, sobrado. No mesmo bairro, faz dez anos, deixou Miriam K. aos cuidados de uma família judia que a abrigou até seu casamento com um médico. Faz dez anos que deixou para trás a Segunda Guerra, o Comando Arajs, a primeira vida.

Mas nem todos esqueceram.

Segunda Parte

1.

Repetidamente Rosa contou a Sofia que o pai nunca suportara os comunistas: quando o Exército Vermelho invadiu a Letônia, em 17 de junho de 1940, confiscaram o armazém onde ele vendia arenque, cordas, cigarros, galochas, açúcar e miudezas. Mas mil vezes os comunistas aos nazistas, ele suspirou um ano mais tarde, quando as tropas alemãs, seguidas pelos homens do Einsatzgruppe A, entraram no país. A bandeira negra da SS foi hasteada na prefeitura de Riga e os nazistas começaram a martelar os ouvidos do povo contra o bolchevismo judaico. Abriram para visitação as câmaras de tortura da Cheka, a polícia secreta soviética, e espalharam que os judeus tinham aplaudido as prisões, as deportações, as desapropriações. Todos éramos comunistas, todos! Inimigos a serem eliminados.

Tínhamos vivido vinte anos sem medo, lamentava papai, prevendo catástrofes, fumando um cigarro atrás do outro, gritando com todo mundo dentro de casa. Entre a independência e os russos, agora chamados de soviéticos, os judeus mantiveram escolas, orfanatos, asilos, movimentos juvenis, jornais em ídiche e hebraico, cinco sinagogas em Riga. Éramos tão livres, lembra Rosa, que uma noite, numa palestra dos sionistas na prefeitura, os jovens cantaram "Hatikva" em hebraico. O hino, você imagina? Depois pedimos desculpas às autoridades.

A voz treme, não a memória. Desde que me entendi por gente o cofrinho de lata do Keren Kayemet transbordava moedas que iam se tornar árvores na Terra de Israel, colocar o leite e o mel ao nosso alcance. Papai escondeu o cofrinho quando os soviéticos começaram a mandar gente para a Sibéria. Recebiam uma denúncia e lá se ia o infeliz para o fim do mundo gelado. Foram deportados mais de 3 mil judeus de Riga, 1.500 de outras cidades, entre eles os refugiados da Alemanha e da Áustria. Sorte a deles, afinal. Os que aguentaram o frio e a falta de comida foram libertados no fim da guerra.

Diante do avanço alemão, os soviéticos garantiram que defenderiam Riga e baixaram um decreto proibindo as pessoas de abandonarem a cidade. Stalin mentiu pelo rádio: "Camaradas! Cidadãos! Irmãos e irmãs! Combatentes do nosso Exército e Marinha. Nem uma única locomotiva, nem um único vagão de trem, nem um quilo de grão, nem um litro de combustível deve ser deixado para trás para o inimigo alemão." Foram os primeiros a largar tudo: os nazistas encontraram comida e bebida na mesa das guarnições que debandaram. Stalin sabia o que Hitler estava fazendo, mas não deu um pio sobre os judeus.

Um peleteiro cliente de papai chegou à nossa casa afirmando que tudo ia melhorar com os alemães. Vamos nos livrar dos demônios vermelhos, disse. Papai por pouco não bateu no homem: Você não avalia o que está afirmando, estúpido, imbecil!, escutamos seus gritos, e ele passou mal naquela noite. O que os vermelhos começaram, os nazistas vão terminar, profetizou.

Voluntários letões logo prenderam o peleteiro e roubaram seus bens. Os judeus foram enviados para campos de trabalho, arrancados das filas de distribuição de comida e das camas dos hospitais. Pode esbugalhar os olhos, Sofia, mas eu conto, continua Rosa: papai acabou igual aos outros, obrigado a tirar as roupas e a esticar os braços antes de receber o tiro na nuca. Os nazistas queriam a Letônia *judenfrei* – livre de nós. Ricos e pobres, trabalhadores e doutores, tudo igual para eles. Deram fim até aos notáveis e aos rabinos que haviam sido alojados nas melhores casas do gueto. Para os alemães, um judeu era um judeu, mesmo que fosse um gênio ou tivesse, como meu irmão, o certificado dos operários qualificados, "WJ", *wertvoller Jude* ou bom judeu, pregado no paletó.

Tudo aconteceu depressa, Rosa explica. Uma semana depois da ocupação, papai foi a Nereta buscar víveres, éramos muitas bocas em casa, e voltou com a história de um sargento que dizia ter encontrado numa sinagoga de aldeia objetos que mostravam que os judeus matavam cristãos para usar sua pele e seu sangue em rituais. O sargento apresentava como provas duas caixinhas de couro que continham tiras de pergaminho com letras hebraicas. Nada de sangue ou pele, constatou o prefeito ao abrir as caixinhas, apenas papel amarelado, igual ao usado pelos fazendeiros para embrulhar manteiga. Eram os filactérios usados nas rezas matinais. Papai compreendeu, contudo, que os letões se tornariam cada vez menos inclinados a nos defender e teve a ideia de me levar, sua Rushele de tranças, à granja de uns conhecidos. Despediu-se apressado, como se pretendesse me buscar no dia seguinte. Eu era a caçula, parecia uma eslava, a boca rasgada, os olhos amendoados, diferente das irmãs casadas. Até nunca mais, ele devia ter dito, e também devia ter me abraçado, grudado em mim seu calor e seu cheiro. Será que rezou no final? Não era devoto, frequentava o Grande Templo da rua Gogol para encontrar os amigos e se deleitar com a música, vinha gente de longe ouvir Jadlowker, nosso garganta de ouro que emigrou para a Terra Prometida.

Ninguém escapou do incêndio do Grande Templo, mais de duzentos mortos. Os corpos carbonizados apodreceram por dias até serem levados para o nosso cemitério. Foi o Comando Arajs que trancou as portas e jogou as granadas. Dizem, eu não vi. Quem deu a ordem, eu não sei. Falou-se em vingança dos alemães, porque os judeus de Daugavpils tinham incendiado prédios e uma estação de eletricidade, mas depois todo mundo entendeu que eles não queriam se vingar por terem ficado no escuro. Queriam nos eliminar da face da Terra, e só estavam começando.

A milícia anticomunista de Viktor Arajs, um tenente de polícia conhecido pela brutalidade, colaborou com os nazistas desde o primeiro dia. Os milicianos chegavam às cidadezinhas em carros, motocicletas, ônibus azuis, e atiravam nos judeus. As pessoas ouviam o ruído dos motores e corriam para tentar se esconder, lembra Rosa. Dizem, eu nunca vi. Herberts Cukurs andava com eles, num Cadillac especial. Pistola na mão, casaco de couro negro dos pilotos, tornou-se o principal motorista de Arajs e um de seus mecânicos mais competentes. Dizem, eu nunca o encontrei, trabalhava na granja quando Deus nos abandonou. Antes, ele tinha pilotado aviões Yak para a Força Aérea soviética. Só no desembarque do navio eu o vi, com o mesmo casaco e rodeado de fantasmas. Você estava no meu colo, Sofia, e não me faça essa cara de esquecida. Faminta e molhada, rodeada de mar, só queria chorar e sugar meu leite, mas tinha os olhos bem abertos.

Numa fração de segundo, Rosa percorre mundos distantes. Preciso pintar as unhas, diz enquanto estende as mãos para Sofia. Pergunta por Débora: quando ela chegar, não pode me ver com as unhas tão feias, vou perguntar onde guardou o trenó, fala, confundindo a filha mais nova com uma das irmãs. Ela é muito caprichosa, foi quem pintou a figura do cisne no trenó pequeno, o cisne branco que parecia levantar voo enquanto corríamos pelas ruas geladas de Riga.

Em dois meses os alemães expulsaram os moradores do bairro mais pobre de Riga, chamado Moscou, e enfiaram ali 20 mil judeus. O gueto: 16 quarteirões cercados por arame farpado, ninguém entrava nem saía sem permissão dos alemães e da polícia letã. Os vizinhos assistiram sem piscar, conta Rosa. Você piscaria? Socaria o peito dos soldados? Os alemães não largavam as pistolas. Roubar os bens, obrigar a trabalhos forçados, os judeus da Letônia entendemos depressa o que eles queriam, mas no início ninguém imaginava que tinham a intenção de nos extinguir. Minha sorte foi estar na granja quando Deus se retirou do mundo, balbucia Rosa. É minha data de luto: 30 de novembro de 1941.

O gueto de Riga durou 37 dias. Gente graúda – médicos, advogados, comerciantes, professores – se misturou a sapateiros, costureiras, alfaiates e funileiros. As pessoas levaram o que puderam para lá: fogareiros, camas de metal, colchões, casacos. Mas não iam aguentar o inverno sem calefação e com a comida racionada. Janeiro e fevereiro, trinta graus abaixo de zero, até as lágrimas congelavam, grita Rosa, e onde estava Deus que não ouviu o vozerio? Só escaparam os operários como meu irmão, transferidos para o gueto pequeno, o dos trabalhadores.

A neve cobria caminhos, casas e estábulos, e Rosa estava na cozinha – depenando um frango, descascando batatas? – quando um rapaz entrou esbaforido e contou que as ruas do gueto tinham sido evacuadas, os moradores – todos, até as crianças – levados em marcha forçada para a floresta de Rumbula. E não havia quem não soubesse o que isso significava.

2.

A era dos aventureiros individualistas parecia encerrada na Europa tomada por imperativos bélicos quando Herberts Cukurs completou 41 anos, em 17 de maio de 1941. Celebridade nos meios aeronáuticos, graças aos voos que fizera até a África central e o Japão, comprara uma granja nos arredores de Riga e lá vivia com a família no dia em que a Alemanha declarou guerra à União Soviética e avançou para incorporar a Letônia, a Lituânia e a Estônia ao Reichskommissariat Ostland, o governo civil do Terceiro Reich no Leste Europeu.

Embora os povos eslavos não pertencessem à raça *correta* (os nazistas planejavam usar holandeses e dinamarqueses para colonizar e *germanizar* o Báltico), os alemães foram recebidos de braços abertos por parte da população, ainda ressentida com a anterior ocupação soviética. Bem-vindos nossos libertadores, bradavam os locutores de rádio, hino nacional ao fundo, enquanto os invasores marchavam pelas ruas de Riga e as tropas soviéticas recuavam. Dias depois da invasão, um anúncio no jornal *Tevija* convocou a se apresentarem ao Comando Arajs todos os letões patriotas, membros da Pērkonkrusts – partido político ultranacionalista –, estudantes, funcionários, milicianos e cidadãos que estivessem prontos para participar ativamente do que foi chamado de "limpeza de elementos indesejáveis".

Cukurs foi um dos que atenderam à convocação. Era um bando heterogêneo: anticomunistas, antissemitas e extremistas de direita, mas também valentões sem ideologia em busca de alguma vantagem financeira. O que fazia entre eles o piloto aclamado? Entre quinhentos e mil milicianos atuaram no Comando em seu auge; eram menos de cinquenta no fim da guerra, quando Viktors Arajs fugiu para a Alemanha, onde viveria com nome falso por duas décadas, até ser descoberto e condenado à prisão perpétua por ter liderado a marcha de 13 mil judeus para a morte na floresta de Rumbula.

Cukurs recebeu de Arajs um carro para seu uso exclusivo e tornou-se seu homem de confiança. Frequentava a sede do Comando, num prédio de três andares onde também funcionavam o QG nazista em Riga e, no porão, um centro de torturas de judeus e *partisans*. Os motivos que o levaram a se unir a Arajs são uma incógnita. Talvez a intenção fosse suprimir os rastros da colaboração com os soviéticos. Outra incógnita: ele executou homens, mulheres e crianças, ou exerceu funções técnicas, ligadas ao seu conhecimento de motores, como alegou, anos mais tarde, à polícia política brasileira? Andar armado, para um militar como ele, era rotineiro, defendeu-se ao contestar sua participação nos crimes contra os judeus.

Para o diretor do Museu Judaico de Riga, Margers Vestermanis – que sobreviveu como trabalhador escravo durante a guerra –, a atuação de Cukurs só seria desvendada se surgissem provas materiais nos arquivos alemães levados para a antiga União Soviética ao final da Segunda Guerra. Não há evidências de que Cukurs participou da resistência antissoviética, como alegou nos depoimentos no Brasil ao se apresentar como vítima de uma perseguição ideológica. Inegável, segundo Vestermanis, é que o piloto era um oportunista que percorreu, de arma na mão, as ruas do gueto.

O gosto pelos desafios e a capacidade de aproveitar as oportunidades começaram cedo. Cukurs se alistou no Exército aos 17 anos, aos 22 fez seu primeiro voo solitário, num biplano, e a seguir aprendeu a pilotar aviões Fokker e Balilla, adquiridos pelo Exército letão depois da Primeira Guerra. Estudou aerodinâmica e aproveitou um motor de motocicleta Harley-Davidson na construção de seu primeiro avião, o C-1 de asas dobráveis.

Entre as duas guerras, o fascínio pela aviação era generalizado. O tenente Herberts Cukurs, que além de piloto era mecânico de motores e engenheiro de voo, se dispôs a alcançar a África num monoplano de asas baixas que ele próprio adaptara, substituindo o assento traseiro por um tanque suplementar de combustível. Aclamado como o Lindbergh letão, durante nove meses, entre 28 de agosto de 1933 e 25 de maio de 1934, foi recebido com flores e discursos em todas as escalas do solitário voo Letônia–Gâmbia. Com patrocínio do jornal *Jaunakas Zinas*, em troca da publicação dos relatos da viagem, Cukurs percorreu 20 mil quilômetros no C-3, prefixo YL-AAB, movido por um motor Renault de 80 hp de oito cilindros, um feito memorável, que afagou o patriotismo do povo que conquistara a independência em 1920, depois de dois anos de luta contra os soviéticos e séculos de ocupações sucessivas por poloneses, suecos e russos.

O desembarque em Gâmbia também tinha sido um desagravo à conquista pelos ingleses da colônia ali fundada no século XVII pelo duque letão Jacob Kettler. A volta triunfal a Riga foi aplaudida por milhares de pessoas e o homem forte Karlis Ulmanis promoveu Cukurs a capitão. Aeroclubes enviaram telegramas de congratulações, fotografias da viagem se espalharam pelo mundo e Cukurs recebeu a medalha da Liga Internacional de Aviadores, além de uma placa honorária com a assinatura dos pilotos mais destacados, inclusive o brasileiro Santos Dumont.

Depois do voo para Gâmbia, fez uma viagem ainda mais ousada, percorrendo 40.350 quilômetros, o dobro da distância anterior, desta vez até o Japão, no monomotor C-6, registro YL-ABA, batizado de *Tris Zvaigznes* (Três Estrelas) em homenagem à condecoração que recebera do governo letão.

Mais uma vez sozinho, e apoiado pelo *Jaunakas Zinas,* partiu em 21 de outubro de 1936. Sem contratempos, fez as escalas previstas: Lituânia, Alemanha, Hungria, Iugoslávia, Bulgária, Turquia, Síria, Iraque, Irã, Paquistão, Índia, Burma, China, Vietnã e Coreia. Um trajeto tranquilo, com exceção de um problema mecânico ao se aproximar de Hong Kong. Precisou então voar baixo, sem visibilidade, e chegou a supor-se perdido, pois não pôde desviar os olhos do céu nublado para estudar o mapa. Tudo isso foi relatado em capítulos que os letões devoravam no jornal, como se lessem um folhetim de aventuras.

Em 1937, outra viagem aplaudida. Acompanhado da mulher, foi de Riga a Jerusalém de carro, um Buik 1930, atravessando o deserto do Saara. Na volta, fez conferências, inclusive para plateias judaicas, e escreveu um romance, *Entre a Terra e o Sol,* cujo personagem principal era um piloto.

> No Golfo do Mar da China vejo uma porção de ilhas. Parece haver milhares delas. (...) Esse é agora um mar de piratas, e nenhum país conseguiu fazer respeitar a lei aqui porque os veleiros leves aparecem e desaparecem

como fantasmas. (...) Se eu tiver que aterrissar antes de chegar a Hong Kong, me advertiram que isso não vai ser bom para mim. Os piratas chineses sabem muito bem que, para cada europeu que capturam, podem obter da família, como resgate, uma grande fortuna. Eu tento não me deixar levar por esse pensamento, preferindo em vez disso confiar no meu motor adequado, e deixando minha mente vagar, admirando as belas colinas nubladas e o mar (...). Em momentos assim, quando o perigo é maior, parece que sou tomado por uma calma silenciosa, uma calma que com frequência me salvou (...).

Trecho de relato de Herberts Cukurs,
publicado no jornal *Jaunakas Zinas* em 24.11.1936.

. 3 .

Aventureiro, oportunista ou criminoso de sangue-frio? O fato de Herberts Cukurs nunca ter sido julgado prejudicou a comprovação das acusações e criou uma zona borrada na História. Num julgamento, esmiuçam-se episódios, examinam-se documentos, defensoria e promotoria buscando fatos e contradições para convencer os jurados. A que distância a testemunha estava do acusado ao vê-lo sacando a arma, empunhando a faca, mirando o alvo? A testemunha está em seu perfeito juízo ou teria outros motivos – pessoais, ideológicos, psíquicos – para fazer a acusação? E se a testemunha tiver confundido o réu com outra pessoa? E se as memórias forem confusas?

Vestermanis e Andrew Ezergailis, os principais historiadores do Holocausto na Letônia, ressaltam a responsabilidade dos alemães pelo massacre da comunidade judaica do seu país, onde não havia tradição de pogroms. Cukurs ou outros letões que participaram de ações não poderiam ter dado as ordens do genocídio, afirmam, pois esse tipo de decisão cabia aos invasores.Os nazistas jamais pediram conselhos aos eslavos sobre a questão judaica e nenhuma autoridade dos países bálticos obteve permissão, expressa ou tácita, de agir com a autonomia de um Pétain na França.

Sem eximir de culpa os letões que por iniciativa própria cooperaram com os ocupantes, a Comissão Histórica da Letônia sobre Crimes contra a Humanidade cometidos entre 1940 e 1956 publicou um relatório afirmando que a Letônia não era um Estado soberano, e não havia instituições ou líderes capazes de influenciar as decisões dos nazistas: "A sociedade civil tinha sido afetada pela brutalidade da ocupação soviética precedente e a ocupação alemã a encontrou moral e fisicamente enfraquecida."

Sobreviventes vivendo em locais distintos, de Tel Aviv a São Paulo, declararam ter visto Cukurs, armado e vestindo seu casaco de couro, em atividade ao lado de outros homens de Arajs. As primeiras acusações foram feitas em Paris, em 23 de maio de 1946, por Antoine Landau e Gustav Joffe, que o apontaram como um dos organizadores da liquidação do gueto. Isaac Kram relatou, a investigadores do Yad Vashem, que em março de 1942 morava na rua Ludza, no gueto, e ali viu centenas de pessoas serem perseguidas por um grupo liderado por Herberts Cukurs: "Uma velha que tinha sido jogada num caminhão começou a gritar o mais alto que podia, suplicando a Cukurs que a deixasse subir em outro caminhão, onde ela tinha avistado a filha. Ele respondeu matando a mulher com um único tiro do seu revólver."

Outro testemunho foi o de Max Tukacier em Munique, em 23 de setembro de 1948, ao Departamento Legal do Comitê Central dos Judeus Libertados na Alemanha. Tukacier disse que foi preso e levado pela polícia letã à sede do Comando Arajs, onde Cukurs o agrediu, quebrando-lhe os dentes frontais. Tukacier relatou que Cukurs ordenou que um velho barbado estuprasse uma moça judia na frente de um grupo de policiais; o velho não cumpriu a ordem e ele o empurrou, forçando-o a beijar o corpo nu da moça.

Essa foi uma das acusações que o piloto negou em seu depoimento no Brasil.

(...) Em 30 de outubro, um terço dos judeus foram retirados do gueto de Riga e fuzilados. No mesmo dia, criaram um gueto pequeno, e transferiram para lá todos os trabalhadores. Aí houve uma interrupção de uma semana. Circularam boatos de que não haveria outras "ações". E num domingo, 7 de dezembro, começou uma nova "ação", que durou até o meio-dia do dia 9 (...).

Essa "ação" não foi dirigida só pelos alemães, porque eles deram a um certo grupo de letões o direito de dirigi-las. O chefe deles está vivendo atualmente no Brasil. Seu nome é Herbert Zukos*. Eu mesmo o vi, na terça-feira, 9 de dezembro, atirando em mulheres e crianças no gueto. Ele agora alega — como alegam todos os que participaram das "ações" contra os judeus — que nunca esteve no gueto, que nunca assassinou um judeu, mas sempre ajudou os judeus (...).

Eliezer Karstadt, durante o julgamento de Adolf Eichmann, em Jerusalém, em 1961, em que os juízes procuraram obter detalhes sobre o *modus operandi* dos nazistas nos países ocupados.

* Transcrição errada do nome.

4.

Meses antes que a cúpula nazista decidisse, em 20 de janeiro de 1942, aplicar a Solução Final, havia entre os alemães divergências acerca do destino a ser dado aos judeus. Milhares vinham sendo capturados e mortos pelas SS nos territórios da União Soviética, embora Hinrich Lohse, o comissário do Reich para os países do Leste, defendesse seu uso como mão de obra escrava.

A liquidação dos guetos de Riga e de Liepāja não foi decidida por Lohse, mas pelo todo-poderoso *Reichsführer* Heinrich Himmler, que para comunicá-la convocou a Berlim o *SS-Obergruppenführer* Friedrich Jeckeln, comandante das unidades responsáveis pelos grandes massacres da Ucrânia. Para prevenir uma reação contrária à sua decisão, Himmler foi categórico: "Diga a Lohse que é uma ordem minha, e também a vontade expressa do Führer."

Ninguém melhor do que o sádico Jeckeln para planejar a matança. Adversário do trabalho escravo, por acreditar que aumentava os riscos de sabotagem, ele havia aperfeiçoado um modelo de execução em massa altamente eficiente, conhecido como método Jeckeln, ou *Sardinenpackung* – enlatar como sardinhas.

O método – usado em Babi Yar, Kamenets-Podolsky, Berdichev, Dnepropetrovsk e Rovno – consistia em levar as vítimas em marcha forçada até a beira de grandes fossas cavadas por prisioneiros. Depois de obrigados a tirar as roupas, homens e mulheres eram empurrados por soldados para as fossas e tinham que se deitar de bruços, lado a lado, braços estendidos, para ser alvejados na nuca. Um tiro por vítima. Para aproveitar melhor o espaço, uma nova camada de pessoas era forçada a deitar-se sobre as que haviam acabado de ser mortas. O processo continuava até que a fossa enchesse até a borda.

Os que tinham sorte morriam com a única bala. Os outros sufocavam, em meio à montanha de sardinhas humanas.

Cerca de 70 mil entre os 86.500 judeus da Letônia foram, durante a guerra, abatidos a tiros ou morreram de fome, disenteria e tuberculose nos guetos e nos campos de concentração e trabalhos forçados.

5.

Jeckeln chegou a Riga em 5 de novembro de 1941, à frente de uma equipe de cinquenta pessoas, e pôs-se a preparar a logística do massacre. Foram arregimentados 1.700 homens, entre soldados alemães e quadros letões das polícias municipal e portuária, para manter a ordem durante a marcha de dez quilômetros do gueto à floresta de Rumbula, local da execução. Rudolf Lange, o mais alto oficial da Gestapo na Letônia ocupada, conseguiu que os homens do Comando Arajs ficassem à disposição de Jeckeln. Também participaram da liquidação do gueto cerca de cinquenta homens do *Einsatzkommando* em Riga e quatrocentos homens com experiência prévia no assassinato de civis.

Em três dias, centenas de prisioneiros de guerra soviéticos cavaram seis fossas de dez metros quadrados, com profundidade de dois metros e meio a três metros, numa clareira da floresta, entre Riga e Daugavpils, nas proximidades da estação ferroviária. Perto o suficiente para a marcha, longe o bastante para que os gritos e os tiros não fossem ouvidos. O solo arenoso, junto ao rio, facilitou a escavação. Jeckeln designou pessoalmente os líderes dos atiradores entre os alemães, inclusive seus doze guarda-costas; requisitou caminhões e ônibus para o transporte dos assassinos e das equipes de apoio, letões e alemães instruídos a impedir fugas e a recolher os corpos dos que, ao tentar escapar, fossem mortos a tiros.

Na véspera, Jeckeln convocou uma reunião e avisou seus comandados que a operação era uma obrigação patriótica; a recusa em participar seria considerada deserção. Os que não tivessem uma função específica deviam estar presentes ao lado das fossas, como observadores.

Às quatro da manhã de domingo, 30 de novembro, 12 alemães da Schutzpolizei, um número impreciso de milicianos de Arajs e cerca de oitenta homens da polícia judaica do gueto começaram a acordar os judeus em suas casas, ordenando que se reunissem na rua Sadovnikova. A informação era de que seriam reassentados: podiam levar objetos, roupas, bens pessoais. Um grupo de trabalhadores cortou o arame farpado, encurtando o trajeto para fora do gueto. Vasculharam-se as casas para garantir que ninguém ficasse para trás. Os que se recusaram a sair, ou porque não tinham condições físicas para se mover, ou por qualquer motivo, foram executados pelos milicianos. Ao meio-dia havia dentro das casas ou nas ruas mais de seiscentos corpos, depois levados ao cemitério judaico por prisioneiros e jogados numa fossa comum.

Cada coluna tinha cerca de mil pessoas. Soldados alemães marchavam na frente e atrás, as laterais vigiadas por uns cinquenta milicianos do Comando Arajs e policiais letões, a pé e a cavalo. Eles foram insuficientes, porém, para manter a ordem. Entre gritos, choro e tentativas de fuga, houve empurrões, espancamentos, chicotadas, tiros e mortes à medida que a marcha avançava. Velhos e mulheres com crianças de colo jogavam fora seus pertences, cujo peso os impedia de caminhar, pois era proibido interromper a marcha. Das casas à beira da estrada não saía um só ruído, colchas e cobertores vedando as janelas, crianças sendo despachadas pelas mães para os cômodos dos fundos, para que não assistissem ao desfile macabro.

A primeira coluna, que deixou o gueto às seis da manhã, chegou a Rumbula três horas mais tarde. Em grupos de cinquenta, os judeus eram conduzidos por um trecho de terra afunilado, por alemães e letões, que os espancavam e obrigavam a se despir. Homens e mulheres depositavam sapatos e roupas em pilhas separadas – casacos, vestidos, calças, blusas, que mais tarde, limpos e etiquetados, seriam despachados para a Alemanha como butim de guerra. Em roupas de baixo, caminhavam então num fluxo contínuo até as fossas, onde entravam por uma rampa.

As vítimas ocasionalmente estacavam, o ritmo diminuía, mas logo a ação era retomada às custas de golpes e pontapés. Na fossa maior, atiradores mantinham-se de pé em cima dos cadáveres. Com as pistolas preparadas para um único tiro na nuca de cada vítima, não tinham o direito de hesitar ou falhar.

Uma semana depois, em 8 de dezembro, novas colunas foram levadas, de outros locais da Letônia, para a clareira da floresta. Os nazistas informaram aos judeus que seus pertences lhes seriam enviados mais tarde, porém as más notícias tinham corrido e as pessoas, desconfiadas, gritavam, choravam, ou rezavam. Jeckeln contou ao seu assistente, Paul Degenhart, que 22 mil cartuchos de munição foram usados em Rumbula. Ao ser julgado no pós-guerra, falou que cerca de vinte mil judeus tinham sido eliminados na floresta, entre eles cerca de mil alemães. Ele não contou aos jurados que o condenaram à forca sua piada macabra: em 15 de março de 1942, anunciou que necessitava de voluntários para trabalhar numa fábrica de sardinhas; os que se apresentaram foram mortos de imediato.

Em Liepāja, que os alemães chamavam de Libau, Reinhard Wiener, jovem sargento da marinha alemã, filmou algumas execuções e enviou as películas para a mãe, na Alemanha, em latas de manteiga, antes do grande massacre que ocorreu entre segunda-feira, 15 de dezembro, e quarta-feira, 17. As prisões começaram na madrugada gelada do dia 13, os judeus retirados da cama e agrupados no pátio da penitenciária feminina da cidade e num galpão à beira-mar. As colunas de prisioneiros, em grupos de vinte, foram conduzidas em caminhões abertos até os arredores de uma fossa de cem metros por três, por guardas letões supervisionados pelos alemães, que chicoteavam quem caminhasse devagar ou demorasse a se despir.

Depois do fuzilamento, os corpos eram inspecionados. Os que ainda se mexiam recebiam um tiro de misericórdia. Os atiradores caminhavam então até galões de leite cheios de rum – os comandantes encorajavam seus esquadrões da morte a se servir de álcool à vontade e os soldados podiam levar consigo garrafas de vodca ou de *schnapps*, um tipo de aguardente.

. 6 .

Na infância de Sofia e Débora, as férias eram um acontecimento esperado: o calor do Rio de Janeiro bania fossas e neve da mente da mãe. Rosa ria, se alegrava, esquecia os desaparecidos, as mãos deixavam de tremer. Devagar, um ano depois do outro, a escuridão das frestas desapareceu. O mundo pode ser um vale de sombras, mas vocês herdaram a claridade, sussurrava ao final das manhãs na praia, vigiando as filhas que davam gritinhos na banheira e tomando cuidado para que seu próprio olhar não se perdesse no espelho sobre a pia.

Olharam sem ver, e não quiseram escutar os gritos, os vizinhos letões, diz Rosa para Sofia. A clareira do massacre, cercada por árvores, ficava a cem metros da linha do trem; quando os judeus foram empurrados, eles cerraram os olhos e tamparam os ouvidos, mas o mundo soube das mortes pela BBC e pela rádio de Moscou.

Na granja, as estações seguiram seu curso. Não passamos fome, por mais três anos dei comida para as galinhas, cuidei das crianças, remendei roupas e preparei geleia, lembra Rosa. Caí de cama uma única vez, no curto e pegajoso verão de 43, quando os alemães, temendo epidemias, mandaram abrir as fossas de Rumbula e queimar os cadáveres empilhados, e todo mundo viu a fumaça no céu e sentiu o cheiro imundo trazido pelo vento oeste. Os prisioneiros que executaram o serviço foram mortos em seguida.

Poucos dias depois que o Exército Vermelho liberou Riga, sobreviventes judeus – cem, duzentos? – saíram de seus esconderijos. Magros, famintos, foram interrogados pelos soviéticos, diz Rosa. Eles nunca confiaram nos letões. Mamãe, foi aí que você se apaixonou por papai, foi então que ele se declarou?, Sofia pergunta de súbito. Os suspeitos de colaboração foram deportados para a Sibéria, não devem ter saído vivos de lá, continua Rosa. Iosse tinha pavor dos vermelhos, mas no final da guerra distribuíram remédios e alimentos, e avisavam às pessoas para comerem pouco ou os estômagos iam estourar. Na granja não faltou comida, nunca paramos de bater manteiga e matar galinhas, graças a Deus.

Mamãe, você então se apaixonou por papai?, Sofia insiste. Sim, nos juntamos logo que acabou a guerra, dois náufragos. Nada de amor e flores no meio dos escombros e das famílias desaparecidas, não sei por que você insiste nisso. Mas o corpo faz exigências, mesmo quando os mortos povoam as noites. Você cresceu, Sofia, ficou adulta e linda e sabe disso. Ele tinha cabelos louros, era alto, bonitão. Mãos enormes, e me agradava, a boca se colava na minha. Não, mamãe, papai nunca foi louro e alto, muito menos bonitão, tinha mãos pequenas e uma vez me contou que perdeu os dentes em Kaiserwald. Ah, minha filha, esse era o Iosse, que chegou na granja na companhia do meu irmão e mais uma moça conhecida deles, uma costureira que tinha passado a guerra escondida num celeiro. Mirrado, canelas finas, rosto chupado, Iosse só encorpou depois. Você se lembra, Sofia?

Todo mundo queria viver, só isso. Parece pouco? Do jeito que fosse possível. Meu irmão se casou com uma moça que tinha parentes no Canadá e foram para Toronto, a costureira deve ter arranjado alguém. Ela não suportava o menor barulho; escapou de ser empurrada para a fossa porque tropeçou numa pilha de roupas e desmaiou, quando acordou ouviu a gritaria e se fingiu de morta até poder se arrastar para longe da clareira.

Eles conseguiram documentos da Cruz Vermelha e dinheiro doado por um comitê de ajuda. Não precisei de papéis, os meus estavam guardados junto com o camafeu de mamãe e meia dúzia de retratos dentro da lata de biscoitos enterrada atrás do galinheiro. Todo domingo, dia de folga dos outros, eu verificava se o lugar continuava intocado enquanto dava milho às galinhas. Aleksanders viajou comigo de jipe, de caminhão, também a pé, balbucia Rosa, e Sofia a interrompe, sacode levemente o braço da mãe. Quem é Aleksanders, mamãe? Que nome é este que nunca ouvi?

É verdade, não viajei com ele, Rosa se inquieta. Ele ficou na granja, na terra, adorava trabalhar lá, cuidar dos bichos, serviu na legião letã, meu Aleksanders, depois da liquidação do gueto, ficava bonito de uniforme, mas não gostava de armas nem de marchas. Gostava era de cavalos, sabia tudo deles, louro e duas cabeças mais alto que eu, gostava de me observar quando eu fazia geleia e batia manteiga. Íamos para o barracão da floresta, ele me ensinando a reconhecer as ervas, depois entre lenha e espingardas de caça nomeava as árvores e seguia as cegonhas com a vista, inventava apelidos para elas enquanto passava as mãos nos meus cabelos e dizia que íamos casar depois da guerra. O barracão da floresta, você sente o cheiro das árvores cortadas?

Foi Aleksanders quem me ajudou a subir no caminhão, quando tudo acabou. Já não usava o uniforme e me entregou as poucas economias dele. Nem por um minuto pensei em ficar lá depois da guerra, e assim os quatro demos adeus a Liepāja, eu, Iosse, meu irmão e a costureira. Chegamos ao porto de Cádiz de jipe, caminhão, carroça, e também caminhando horas seguidas, sem ligar para as pernas inchadas – milhares de pessoas cruzavam as estradas em todas as direções, a Europa um deus nos acuda. Não lembro quanto tempo viajamos, eu cada vez mais enjoada, nem quanto tempo esperamos numa pensãozinha do porto até embarcar para o Brasil. Mas ele não veio comigo, o Aleksanders, não, não, não, o Aleksanders que sabia tudo de bichos, quem veio foi Iosse, nervoso e suado, Iosse que sempre dava um jeito de arranjar comida para nós. Por que só agora escuto, mãe?

O céu de Cádiz borrava os fantasmas e o sangue. No fim da guerra tudo precisava acontecer depressa, os sobreviventes se atropelavam, quatro semanas pareciam uma eternidade. Enquanto aguardávamos o navio, eu e Iosse decidimos casar. Ele me afagava o rosto, o ventre, deixava que eu chorasse encostada no seu peito. Esperar o quê? Ninguém escolhia muito. Quem hesitava, perdia. Quem se voltava para trás, perdia. Um erro, e acabou-se.

Iosse nunca foi indeciso, não é homem de vergonhas. Dizia que me desejava, sem rodeios. Desde o primeiro dia, olhou para a bebê, nossa Esperanza, linda, linda, dizia, acariciando-lhe a testa – como se fosse sua filha. Tratou você da mesma maneira que tratou Débora, a filha dele, nem mais nem menos, o que uma recebia, a outra recebia. E você nunca me agradeceu por ganhar um pai como Iosse. Pode me agradecer, também, por se chamar Sofia como a avó que não conheceu, e Esperanza como o navio onde nasceu, e mais ainda por ter olhos grandes como os meus, e as maçãs do rosto de uma eslava. Fomos protegidas por Deus, eu e você, e não me pergunte por quê.

Não, mamãe, não vou perguntar por quê.

7

No início de 1945, Cukurs chega de carro a Szczecin, cidade polonesa parcialmente destruída por bombardeios, e onde viviam, desde o final de 43, sua mulher, sua sogra e seus três filhos. Está em companhia de Miriam K., que passara parte da guerra na granja, e que segue com ele para uma breve estadia em Berlim, para trabalhar na fábrica de aviões Bücker Flugzeugbau.

Às vésperas do cerco final de Riga pelas tropas soviéticas, em agosto de 1944, Cukurs tinha sido convocado a transportar nazistas em fuga para a vizinha Gotemburgo, na Suécia, com joias e dinheiro retirado do Ostbank, instituição que reunia os bancos centrais da Letônia, Lituânia, Estônia e Rutênia. Oito meses depois, quando os alemães ordenam a evacuação de Szczecin, é hora da família partir novamente.

Não são refugiados pobres – viajam de carro, com um reboque acoplado. Ao serem detidos perto de Kassel e terem seus papéis examinados por soldados norte-americanos, os documentos de Miriam despertam simpatia e eles logo são liberados para cruzar o continente percorrido de norte a sul por centenas de milhares de desalojados. Para esse tipo de viagem é preciso dispor de sorte, dinheiro ou ambos. De carro, a pé, em charretes e lombo de burro, uns carregando malas e embrulhos, outros de mãos vazias, uns com passaportes válidos, outros apátridas devido à nova configuração das fronteiras, algozes e vítimas têm algo em comum: não olham para os lados nem para trás.

Cruzam a fronteira francesa em 13 de maio, e Cukurs consegue autorização para circular com o carro, rumando para o porto de Marselha, primeiro, e para Cassis-sur-Mer, em seguida. O sul da França desconfia de estrangeiros como eles, mas não os hostiliza; as janelas das casas permanecem abertas, as manhãs recendem a pão fresco e as crianças tomam banho de mar enquanto o pai dá prosseguimento aos trâmites que lhes permitirão seguir viagem.

O ar é leve, mesmo no inverno, agradável para quem se acostumou aos graus negativos. Na companhia de Miriam, as crianças descem à tarde as ruelas de pedras que levam da casa alugada ao centro de Cassis, os dois maiores atentos à animação da praça, o menor agarrado à mão da moça em meio à ronda dos franceses que vão e voltam, cumprimentando os conhecidos da vida inteira enquanto mais um dia se encerra igual a todos os outros.

Cukurs não faz a ronda das ruas, desconhece as palavras certas, não aprecia os jardins floridos de mimosas nem as mulheres perfumadas que se debruçam para regá-los. Não entende as regras das partidas de *pétanque*, nunca senta com os homens no café. Sob o céu azul brilhante aguarda em silêncio a conclusão de seus assuntos. A paisagem abrupta das *calanques*, falésias que protegem a cidade do vento mistral, comprova como está longe de casa, da baía cinzenta manchada de óleo, dos hangares e motores, dos pinheiros e tílias que nunca mais verá. Meticuloso, prepara o futuro, a última aventura, e espera que as peças se encaixem para mover a engrenagem de sua segunda vida.

8.

Le Docteur Agostini, como o chamam, fala devagar, para ser bem compreendido pelo homem que o fita sem desviar o olhar. Ele é também Monsieur Le Maire, prefeito socialista em primeiro mandato, laureado da Academia de Medicina, cavaleiro da Legião de Honra por bravura na Primeira Guerra. Mistura-se com o povo no mercado, na farmácia, nos bares, no adro da igreja, ouve o que falam sem benevolência sobre aqueles que, como o estrangeiro robusto na sua frente (1,76 metros, 88 quilos), não solicitam remédios, tampouco se queixam de dores, e ao sair apertam-lhe a mão com força antes de voltar a deslizar sem ruído pela cidade. Os refugiados que alugam a bom preço as casas dos vilarejos empobrecidos, melhor ignorá-los. *Laissez passer*: é hora de esquecer o pesadelo da guerra e sepultar os rastros dos últimos anos.

O médico faz a Cukurs meia dúzia de perguntas protocolares. Pede que traga os filhos no dia seguinte e, ao auscultar-lhe o peito, elogia sua boa forma física. Como seria fácil se todos os pacientes fossem tão saudáveis como este letão que só precisa de carimbos – de nada reclama, nada o oprime, nenhuma dúvida, nenhuma pontada no peito, nenhum remorso. Mais um a despachar o quanto antes: a paisagem ancestral quer fechar-se de novo sobre si mesma. Que vá embora de uma vez, pensa Le Docteur, e a caneta-tinteiro corre pelo papel, há muito a reconstruir depois da desolação. Boa-tarde, senhor prefeito, *merci beaucoup, merci beaucoup,* muitíssimo obrigado, o letão sai repetindo, os atestados de saúde no bolso. É 5 de novembro, dia em que a terra dá mais um giro – definitivo, Herberts Cukurs acredita – para o lugar certo.

"Cukurs Herberts a été vacciné en novembre 1945 contre la variole, avec un resultat positif", informa a folha de receituário de Emmanuel Agostini. A família está cumprindo todas as exigências burocráticas e sanitárias do Brasil. No outro papel assinado pelo médico, o Atestado de Saúde para Permanentes, só o item profissão fica em branco.

"Atesto que examinei o Sr. Cukurs Herberts, 45 anos, letão, e que o mesmo goza de boa saúde e não apresenta sintomas ou manifestações de lepra, tuberculose, elefantíase, tracoma, doença venérea em período de contágio, câncer, afecção mental; não é cego, surdo, surdo-mudo, aleijado, mutilado, alcoolista ou toxicômano, nem tem lesão orgânica que o invalide para o trabalho."

Três dias antes, Cukurs recebera da prefeitura outro atestado essencial, o de bons antecedentes, *Certificat de Bonnes Vie Et Moeurs*. Estava apto, portanto, a comprar as passagens para ele, a mulher, a sogra, os três filhos e Miriam K. Esta, diria ele anos mais tarde, ao se defender das acusações de perseguir os judeus, "queria acompanhar a família Cukurs, que com o risco de sua própria vida a havia salvado na Letônia".

Vende o carro, o reboque e alguns pertences. O Banco Crédit Lyonnais em Marselha recebe sua solicitação de transferência de "uma soma entre 150 e 200 mil francos" e em 6 de dezembro responde, com cópia para o consulado brasileiro em Marselha, que a solicitação está sendo analisada. A carta é enviada ao Hotel Panorama, em Cassis, e não ao endereço da família na Route des Calanques.

Malas prontas, vacinas em dia. Cabelos bem penteados, envergando o casaco de couro negro, Cukurs sorri discreto na fotografia para o visto. Olhos azuis, rosto oval. As informações também dão conta de ser o solicitante um "engenheiro técnico de aviação, de origem étnica ariana, religião protestante e instrução superior", que pretende "trabalhar na sua profissão" ao chegar ao Rio de Janeiro. Seus bons contatos e sua fama nos círculos aeronáuticos garantem uma promessa de emprego na Fábrica Brasileira de Aviões, em Niterói, cidade onde montará um pequeno estaleiro antes de iniciar o negócio dos pedalinhos.

O salvo-conduto número 117, que inclui os três filhos – Gunnars, então com 14 anos, Antinea, 11 anos, e Herberts Cukurs Junior, 3 anos –, é expedido pela prefeitura de Bouches-du-Rhône em 17 de dezembro de 1945, válido até 15 de fevereiro do ano seguinte, e para apenas uma viagem, "a fim de se dirigir ao Brasil, com itinerário por Espanha e Portugal" (na passagem por Lisboa, onde embarcará, Cukurs receberá do governo português autorização para levar 48.532 escudos ao Brasil). Em 18 de dezembro, o cônsul brasileiro em Marselha, Mario de Miranda Pacheco, carimba a pilha de atestados e concede à família o visto permanente para a entrada em território brasileiro.

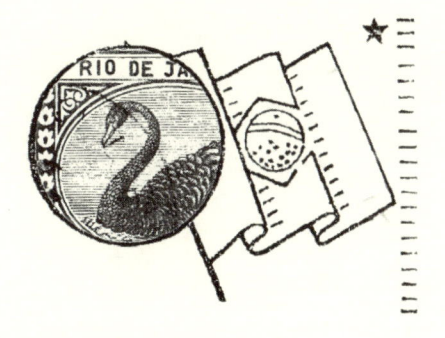

Terceira Parte

1.

Senhores passageiros, verifiquem se os cintos estão afivelados e façam uma boa viagem. Frida ouviu a voz com a certeza de que, para ela, o voo 083 da Air France seria péssimo. Embarcara com João Afonso em São Paulo para Montevidéu, rumo a Punta del Este, e ao atravessar a fileira de poltronas reconheceu o Aviador, folheando uma revista. O tempo modifica a realidade sem tocar na fantasia: quinze anos e muitas rugas a mais, rosto curtido de sol, óculos de grau forte, ele levantou os olhos à sua passagem, como alguns homens ainda faziam, tossiu, levou a mão direita à boca. Durante o voo turbulento sobre o Atlântico Sul, Frida não dormiu, nem tirou o livro da bolsa. Teria permanecido imóvel, entreolhando o céu carregado de nuvens espessas, não fosse a conversa com os dois franceses da fileira ao lado.

Diretores da casa de alta-costura Jean Patou, de Paris, ambos falaram de moda e elogiaram sua elegância – a cópia impecável de um modelo Dior, confeccionado por Madame Rosita num ateliê da rua do Ouvidor, realçava o corpo flexível, a volta de pérolas sinalizava o bom gosto sem ostentação. Conheciam São Paulo e Rio, buscavam ampliar a clientela em Montevidéu e Buenos Aires, e adorariam recebê-la na França. No saguão do aeroporto, despedia-se deles quando viu o Aviador – sem o casaco de couro, com um paletó que tivera melhores dias – em conversa animada com um homem gorducho e calvo, terno bem cortado, o típico judeu-alemão ou austríaco. Estranha dupla, que negócios teriam em comum?

Antes de seguirem para Punta, acompanhou João Afonso ao encontro com um diplomata brasileiro, amigo de longa data. Na antiga confeitaria da Plaza Independencia, o arrepio da suspensão intrometido no cotidiano, Frida prestava atenção ao zumbido dos ventiladores. Quero apenas um chá forte com limão, disse ao garçom, contrariando o marido que se antecipara e pedira para ela um *trago largo*. Uma só gota de álcool, e gritaria. Pátria, guerrilha, guerra fria – o diplomata, que ela conhecera em Petrópolis e considerara gentil, despejava palavras entre baforadas de um puro cubano. A embaixada, que mantinha no Uruguai uma rede de informantes que incluía delegados de polícia, militares, fazendeiros e juízes, pressionava o governo uruguaio a fechar o cerco em torno de Leonel Brizola e João Goulart, exilados pelo regime militar, vasculhava seus contatos, planejava o bloqueio de seus recursos. Se o Uruguai quer continuar a vender trigo para o Brasil, deve a qualquer custo cortar as asas dos dois, explicou-lhe o marido ao saírem da cidade no carro alugado.

Frida aceitara em silêncio – preço a pagar pela segunda vida – o estilo de João Afonso: a política de troca de influências. Eu não sabia que você estava interessado em compra e venda de trigo. E o que significa *a qualquer custo*, meu bem?, perguntou, sem esperar resposta.

Punta del Este, 24.02.65.

Querida Clara, como estás? Cuidado com o calor, sei que sofres.
Ontem de manhã, encontrei no avião um fantasma, que ainda me assombra e sobre o qual contarei quando chegar ao Rio. Já decidi (ou quase) que o próximo

verão será todo em Cabo Frio, de mar menos gelado e noites mais simples que as daqui. Mal cheguei, comprei chapéus de ráfia italiana para mim e para as meninas, e mais um maiô. Elas ficaram felizes em São Paulo, devem estar se divertindo com os primos na fazenda, é importante que aprendam a rir e a chorar longe dos pais.

Com carinho, a amiga Frida.

João Afonso, que pela terceira vez levava Frida a uma temporada no hotel-cassino, uma das glórias de Punta, jamais entendeu por que ela queixou-se de tudo naquele ano: o vento, as saudades das filhas, o deslumbramento dos turistas. Até das ostras com vinho branco ela desdenhou. Mil vezes a areia fina de Cabo Frio ou o sol do Guarujá, não quero voltar no próximo verão, ela decretou certa tarde, bebericando um Martini à beira da piscina, ele anuindo com a cabeça, Deus o livrasse de retrucar a essa mulher que cuspia fogo quando contrariada.

Punta del Este, 01.03.65.

Querida Clara,

Espero encontrar-te bem. João Afonso me leva daqui a pouco a almoçar no iate de um milionário italiano ancorado ao largo. Meu marido, o mestre em boas relações! Já preguei o melhor sorriso no rosto rosado (cuido-me, cremes e mais cremes, chapéu, óculos escuros).

Nado todos os dias. De manhã cedo, antes que as pessoas se juntem na piscina ou na praia. E me divirto à noite, juro, ainda que o cassino não se compare ao do Estoril, e até tango temos dançado! Você sabe que me retiro da roleta logo que ganho, o que é típico de amadores, diz João Afonso, incapaz de reconhecer meu tédio. Ele se julga um profissional em tudo o que faz, não me conta se perde ou ganha nas rodas de pôquer da sala que frequenta. Os garçons o bajulam, o *croupier* faz mesuras à sua passagem. Isso significa que a casa fica com boa parte dos lucros? Não sei, não digo nada...

O fantasma, onde estará?

Com carinho, a amiga Frida.

Nessas férias em que algo está fora de lugar, a brecha se aprofunda. Quando João Afonso a chama para entrar na banheira de espuma, ritual diário em Punta, ela recusa, pede que a deixe sossegada. Imóvel, não reage ao sentir que ele se agita à noite e tateia seu corpo. Que se levante, que abra a janela para a maresia, fume um cigarro, dois cigarros, três cigarros, que acenda um charuto, faça o que quiser desde que não me toque.

Punta del Este, 3.03.65.

Querida Clara, como estás em meio ao Carnaval? Eu acho que vou bem. O italiano do iate era expansivo, e nos convidou a navegar com ele no Mediterrâneo, em julho ou agosto. Podemos levar as meninas. Tem negócios imobiliários aqui, na Argentina e no Brasil. João Afonso quer aproveitar para jogar em Monte Carlo, acaba de me dizer que é um absurdo nunca termos ido lá.

Eu, continuo a nadar.

Com carinho, a amiga Frida.

2

Na roda de biriba em São Lourenço, Rosa ouve a marcha-rancho que vem do salão de baile do Hotel Primus. Os tempos das pensões baratas ficaram para trás, mas sua mesa de jogo é das simples, mulheres de meia-idade que nunca perdem mais que uns trocados. As filhas já avisaram: é a última vez que passam o carnaval na estação de águas, não acham mais graça no parque, pedem para encurtar a estadia, não querem ser vistas ao lado da mãe nas alamedas floridas ou em ridículas charretes. Querem voltar correndo para o Rio.

São Lourenço, 01.03.65.

Querida Clara,

Como vai, minha muito querida? Sei do calor e sofro por você.

Acordei cedo, a segunda-feira de carnaval é quieta e as meninas estão dormindo. Ontem, me disseram que não querem voltar, as amigas vão para outros lugares. Comprei saquinhos de confete e pacotes de serpentina, por isso brigaram comigo. Gostavam tanto, parecem ter esquecido. Iosse só ficou rindo. Mas levaram a serpentina para o baile e voltaram roucas de tanto cantar. Na idade delas, eu estava você sabe onde.

Iosse joga o dia todo, perde, não me olha. Quero me separar, muito, muito, Clarinha querida. Quando chegar, vou preparar um bolo de chocolate, recheado de leite condensado, vamos comer inteirinho, e conversamos, se você quiser. Será que as meninas vão ficar com raiva se eu procurar o rabino e pedir o divórcio?

Fica em paz, Clarinha querida. Muitos carinhos meus e das meninas,

Sua Rosa.

Waldemar retira de uma gaveta os cartões-postais enviados pelas amigas, as cartas em papel fino, relê para Clara a vida lá fora. Ventilador ao pé da cama, chás gelados, revistas, livros, remédios, ela tem tudo à mão. Abre a janela para o som de um bloco de Carnaval, mas desconhece as marchinhas deste verão de 1965 em que a expectativa o domina. Vinte anos antes, admirava a euforia que agora lhe parece fora de lugar. Falta pouco, o médico avisou. Frida e Rosa sabem da gravidade do estado de Clara, mas escrevem como se o tempo sobrasse. Uma casa na praia, Waldemar, quero o céu sem nuvens, o sabor da água salgada e a areia fina, diz ela subitamente. Cabo Frio? Ele se assusta, ignorava que a mulher tinha o mar na imaginação – a Clara nada faltava, só não podia lhe dar o mar. Dormira muito no verão anterior (numa rede, pela primeira e última vez!), amparada por uma Frida descalça, bronzeada, que festejava a compra de um veleiro, e começara a sonhar em azul, sonhos impregnados de cristais brancos em que a mãe surgia de um galpão arruinado e lhe mostrava as asas que tinham nascido em suas costas. Como é bom ter asas, mamãe, aonde vamos?

Duas semanas depois que ela se foi (só falava assim: ela se foi), Waldemar esvaziou a cômoda e o armário, cheirou pela última vez a alfazema das camisolas, esfregou-as no rosto. Doou para um asilo as roupas, os sapatos, as bijuterias, os remédios. Quando dois rapazes vieram buscar os caixotes, pediu que esperassem, abriu um deles, retirou um casaco tricotado em tons de verde. Agora levem, antes que eu me arrependa, disse. Dobrou as últimas palavras copiadas pela mulher, bilhetes, aforismos, poemas, uma receita de ponche, convites de casamento, batizados, bodas de prata, guardou-os numa pasta. Os cartões-postais e as cartas de Frida e Rosa, enfiou-os em dois envelopes pardos que endereçou em letra caprichada. Que não me devolvam nada, pensou, é a herança delas. São Lourenço, Punta del Este, Nova York, Santos, Buenos Aires, Paris. Ele mesmo jamais escrevera a Clara, nem recebera correspondência dela – se não se separavam!

> "Porque em algum lugar afiam facas
> porque em algum lugar massacram criaturas
> porque não há limite para a pilhagem, a miséria, a dor
> Grito"

Clara gritava no silêncio.

3.

Após o sequestro de Adolf Eichmann na Argentina, cinco anos antes, Cukurs trocara a visibilidade de Santos, balneário frequentado por um grande número de judeus de classe média, pela Riviera Paulista, bairro afastado da capital, junto a Interlagos. No entanto, seis sobreviventes da Letônia procuraram o Deops (Departamento de Ordem Política e Social de São Paulo) para denunciá-lo por crimes de guerra. Era insultante, e até assustador, deparar-se em solo brasileiro com o homem acusado de tantas atrocidades. Contudo, as autoridades – um gesto de deferência? – o ouviram antes de tomar o depoimento dos denunciantes e nada fizeram. Ele voltou a se dizer vítima de intrigas comunistas, negou as acusações, que foram arquivadas sem investigação, e pediu proteção ao Deops: policiais brasileiros passaram então a vigiar os arredores de sua casa e da marina na Represa de Guarapiranga para onde transferira o hidroavião e os pedalinhos.

Entre o início e o desfecho da ação que atraiu Cukurs ao Uruguai passaram-se menos de seis meses. O principal homem em campo foi Yaakov Meidad, 45 anos, agente do Mossad, o serviço de inteligência e operações especiais israelense, membro do comando que sequestrara Eichmann em 11 de maio de 1960 e o levara para ser julgado – e condenado à morte – em Israel. "Quando um dia meus netos perguntarem, 'Vovô, de tudo o que o senhor fez, o que mais o enche de orgulho?', vou lhes contar sobre meu papel nessa operação difícil e complicada que foi justiçar o Carniceiro de Riga", disse ao apresentar sua versão dos fatos, quatro décadas mais tarde e com o codinome de Anton Kuenzle.

As primeiras coordenadas para a missão, e os documentos em nome de Kuenzle, foram entregues a Meidad por dois agentes do Mossad em Paris, em 1º de setembro de 1964, ano marcante para os serviços de inteligência de Israel devido à criação da Organização de Libertação da Palestina. Por que Cukurs? E por que naquele momento? O piloto letão, alvo com endereço conhecido, seria um exemplo das represálias que podiam ocorrer caso entrasse em vigor na Alemanha o Estatuto de Limitações, que encerraria a punição aos crimes da Segunda Guerra e cuja legitimidade era questionada pelos israelenses.

Ao contrário dos espiões do cinema, Meidad não era alto, forte ou sensual, nem se julgava um 007 imbatível. Segundo ele, a operação Cukurs foi uma das mais arriscadas da sua carreira de agente secreto: não falava português ou espanhol e várias vezes foi obrigado a improvisar enquanto cortejava o piloto. Era, porém, o homem certo para incorporar o ex-oficial da Wehrmacht agora dedicado aos negócios. Tinha experiência, foco, raciocínio rápido e, na definição do general Meir Amit, chefe do Mossad entre 1963 e 1968, a aparência de uma pessoa inocente, que passa despercebida na multidão. Filho de um casal morto nas câmaras de gás de Auschwitz, emigrara na adolescência de Breslau, na Alemanha, para a Palestina sob domínio britânico e se tornara o primeiro judeu a servir ao exército de Sua Majestade na Segunda Guerra. Depois da independência de Israel, em 1948, comandara unidades de artilharia até ingressar, em 1955, no serviço de inteligência.

Foi como Anton Kuenzle que deixou crescer um bigode preto, adquiriu óculos de armação grossa, abriu contas em bancos na Holanda e na França, criou rastros verificáveis. Com sua esmerada educação de ex-aluno do Johannes-Gymnasium, criou a *persona* ideal para levar ao letão a oferta de tornar-se parceiro num empreendimento à altura de seu talento de ás da aviação. Talvez o piloto tivesse transportado fugitivos nazistas a esconderijos no interior do Brasil, mas agora parecia preso à rotina de reparar pedalinhos e conduzir turistas em voos panorâmicos.

Aproximar-se de Cukurs exigiu uma estratégia meticulosa. Em 1º de setembro, o agente pegou o trem de Paris para Rotterdam, na Holanda, onde se hospedou no luxuoso Rijnhotel para começar a construir seu personagem. No correio central, abriu uma caixa postal, dando como endereço o hotel. Em seguida, abriu no banco AMRO uma conta em que Anton Kuenzle, cidadão austríaco, depositou 3 mil dólares e deu o endereço da caixa postal, P.O. Box 1208, para correspondência. Tudo isso em duas horas.

No dia seguinte, foi ao Hotel Hilton, fez reserva para daí a sete dias e, agindo como um cliente à vontade no lobby, deu uma gorjeta generosa ao porteiro para que este enviasse ao consulado brasileiro um mensageiro, em busca dos formulários para solicitar um visto de turista. Encomendou, numa loja elegante, papel de carta, envelopes e cartões de visita, com o endereço do porto holandês. Depois foi a um oftalmologista e, fingindo não enxergar as letras pequenas, conseguiu uma receita de óculos de grau. Não quis recorrer às lentes falsas usadas no teatro, facilmente detectáveis. Numa boa alfaiataria, encomendou camisas e um terno leve, adequado para o verão do Hemisfério Sul; comprou artigos de uso pessoal, como dentifrício e sabonete holandeses, e juntou numa pasta recibos de lavanderia e bilhetes de ônibus – se Cukurs viesse a bisbilhotar seus pertences, confirmaria quem ele era e onde vivia. Kuenzle se orgulhava de dar atenção a todos os detalhes e jamais se arrependeu de ter sido um perfeccionista.

Em Paris, os coordenadores da missão perguntaram se ele precisaria de uma câmera. Não, nada de fotos ou filmes! Não podia se arriscar a levantar suspeita do Defunto – o apelido dado pela equipe a Cukurs. Por isso, tampouco tomaria notas, e enviaria a ambos suas informações em tinta invisível, a mesma que eles usariam nas instruções que despachassem aos cuidados do American Express nas cidades por onde passaria. O passo seguinte foi pegar um avião para Zurique e depositar 6 mil dólares numa agência do Credit Suisse, solicitando que os representantes do banco no Brasil, na Argentina e no Uruguai fossem informados da próxima chegada de Anton Kuenzle, empresário austríaco sem dúvida respeitável e endinheirado.

De novo em Paris, tirou a fotografia para o visto de turista, reuniu-se com seus contatos e abriu uma caixa postal adicional. Voltou a Rotterdam, de onde saiu com um terno novo e o visto, válido por três meses. Retornou à capital francesa e voou para São Paulo em 11 de setembro de 1964, uma sexta-feira. Seguiu logo para o Rio, onde se hospedou num hotel na avenida Atlântica, em Copacabana. Precisava familiarizar-se com o papel de representante de um grupo de investidores europeus interessados em negócios turísticos. Fez contatos, enfiou na mala folhetos com o Corcovado e o Pão de Açúcar, admirou as mulheres de maiô e, satisfeito, partiu para a capital paulista, onde se registrou no Othon Palace, centro de São Paulo, um dos hotéis preferidos por empresários.

4.

Foi num sábado, 19 de setembro de 1964, que Kuenzle aproximou-se do alvo. Alugara um carro – um Fusca laranja – e ao volante dele fizera dias antes o reconhecimento da marina sem luxo, popular entre turistas de fim de semana, que o Defunto administrava. A primeira pessoa a saudá-lo na marina foi a nora de Cukurs, alemã de Dresden, que controlava de uma cabine a venda de ingressos para os passeios. Logo estavam conversando animadamente e ela apontou o sogro: era a pessoa indicada para dar as informações que o simpático interlocutor pedia a respeito do número de embarcações, clientela, horários de pico, movimento turístico. O agente israelense cumprimentou o homem bronzeado e robusto, atarefado à beira d'água, e logo contratou um voo no hidroavião de dois lugares. Os altos edifícios ao longe, o espelho-d'água da represa, a vegetação ao redor, tudo lhe pareceu encantador.

"Obrigado, *Herr* Cukurs. Foi um voo muito suave", elogiou Kuenzle ao descer do aparelho, em meio a pedalinhos, barcos a remo e lanchas. Enquanto o piloto tirava água do piso do hidroavião com uma bomba de encher pneus de bicicleta, Kuenzle olhava o relógio de pulso, como se tivesse pressa. Mas aceitou o convite de Cukurs para tomar um drinque em seu barco e prosseguirem ali a conversa sobre negócios.

A isca tinha sido mordida.

Conversaram, e a certa altura Cukurs foi direto:

"Me acusam de ser um criminoso de guerra", disse, e esperou a reação do outro, que não veio. "Logo eu? Depois que salvei a vida de uma moça judia e a protegi em minha casa durante a guerra inteira!"

Kuenzle permaneceu calado e Cukurs perguntou-lhe se tinha servido na guerra.

"Sim, é claro."

"Onde?"

"Na frente russa, como tenente", mentiu, e abriu a camisa para mostrar uma cicatriz no peito, resultado de uma cirurgia feita anos antes em Israel.

O objetivo era fazer Cukurs acreditar que Kuenzle era um dos *Alte Kameraden*, os velhos companheiros com um passado sobre o qual era obrigatório manter reserva. O piloto convidou-o a visitá-lo em casa e o agente – que não queria parecer ansioso – prometeu que o faria ao voltar a São Paulo, na semana seguinte, após uma breve viagem a Brasília e a Salvador.

Ao retornar ao Othon Palace, no prazo combinado, esperavam o falso empresário telegramas enviados pelos agentes de Paris. Um deles lhe pedia "autorização para fechar o negócio de cem mil dólares discutido antes de sua partida". Se Cukurs enviasse alguém para se informar sobre ele no balcão do hotel, constataria que se tratava de um homem de posses, um investidor.

Ao receber Kuenzle em casa – uma construção modesta, com mobília simples e quintal descuidado, vigiado por um pastor-alemão – o piloto letão fez questão de indicar que não era um estrangeiro qualquer, apesar das aparências. Mostrou ao visitante suas medalhas e condecorações, entre elas o importante Harmon Trophy, concedido pela Liga Internacional de Aviação, e a Ordem de Santos Dumont. O Pai da Aviação brasileiro era um de seus heróis. Em seguida abriu uma gaveta e retirou um pequeno arsenal: um revólver FN calibre 7.65 mm, uma Beretta 6.35 mm, uma Mauser automática 7.63, um rifle semiautomático 5.56. Contou que tinha autorização policial para a posse de armas. "Sei me cuidar muito bem", falou.

Num pequeno galpão adjacente, Cukurs mantinha uma oficina de reparos de motores de barcos e guardava um velho Cadillac que consertava aos poucos. Foi ali que exibiu a Kuenzle uma série de fotografias aéreas da região e ofereceu-se para tirar outras. Os voos aconteciam numa área restrita, conforme determinações das autoridades aeronáuticas, para evitar interferência no tráfego aéreo do aeroporto de Congonhas.

O piloto letão era conhecido nos arredores como "o alemão maluco da represa" pela ousadia na cabine do Seabee. Nesse dia, contudo, não foi audacioso. O que fez foi convidar Kuenzle a conhecer sua plantação de bananas em Piedade, a uns cem quilômetros da capital. O trajeto seria feito no Fusca alugado, com o israelense atento às curvas da estrada e ao homem armado no banco do carona.

O bananal, milhares de árvores rodeadas pela Mata Atlântica fechada, era o cenário perfeito para um esconderijo ou um crime. Instalações precárias e ninguém à vista. Se Cukurs desconfiasse de Kuenzle e decidisse executá-lo, seria impossível escapar. O letão mal conversou sobre os frutos da terra, como gostam de fazer os fazendeiros, apesar da aparente curiosidade do visitante – quantos cachos se produziam, pragas, qualidade e sabor. Banana se come crua, cozida, assada, ou frita? A dupla jantou sanduíches de pão preto com salame e queijo, ouvindo os sons da mata até adormecer em camas de campanha, num barracão úmido. Cukurs, pistola sob o travesseiro, carregou-a consigo ao levantar-se de madrugada para fazer xixi junto a uma árvore. No dia seguinte, desafiou o outro a uma prova de tiro, e ambos se saíram bem. Se isso provava ao letão que o falso empresário estivera na guerra como oficial, confirmava para Kuenzle que seria difícil liquidar aquele Defunto cauteloso, forte e ótimo atirador aos 64 anos.

O relacionamento se estreitou depois dessa pequena viagem, Kuenzle insinuando que o piloto seria uma peça-chave dos futuros negócios, por seus conhecimentos da língua, ao contrário dele e de seus sócios europeus, que não falavam uma palavra de português nem de espanhol, mas cogitavam expandir-se, depois de Brasil, Argentina e Uruguai, para o Chile. Fizeram viagens de prospecção a Santos e a Porto Alegre, mantendo longas conversas em torno de turismo e investimentos. A intimidade cresceu e Cukurs passou a chamá-lo de *Herr* Anton, em vez de *Herr* Kuenzle. O agente fazia questão de demonstrar que dinheiro não era problema, e convidava Cukurs para os melhores restaurantes e bares. O letão comia bem, mas bebia pouquíssimo e devagar. Uma dose de uísque com gelo podia durar um jantar inteiro – se embebedá-lo estivesse nos planos de alguém, melhor seria desistir.

De volta a São Paulo, Cukurs o convidou a tomar chá com sua família. Milda recebeu o agente com um *apfelstrudel* delicioso e, ao lado dos três filhos, sentou-se à mesa sem parecer à vontade, observando-o atentamente enquanto a nora traduzia partes da conversa em alemão. Kuenzle comentou que logo embarcaria para Rotterdam, depois de fechar um negócio no Uruguai, e retornaria em poucos dias a fim de seguir de novo para Montevidéu, onde Cukurs deveria encontrá-lo em outubro.

5

Ao acertarem essa primeira viagem a Montevidéu, Cukurs, cuja naturalização fora negada pelo Ministério da Justiça, revelou a Kuenzle que não tinha passaporte. Ou pagou para obter um rapidamente no mercado negro ou o recebeu do israelense – papéis falsos nunca foram obstáculo para serviços de inteligência. Se a segunda hipótese é a verdadeira, isso indica que o piloto sabia que não lidava com um mero empresário do ramo turístico. Depois da morte do piloto, o chefe do Deops-SP, Alcides Cintra Bueno, declarou que tentara dissuadi-lo de viajar, pois não teria meios de protegê-lo fora do Brasil.

Na capital uruguaia, Kuenzle fez o Defunto visitar em sua companhia várias casas, com a justificativa de que procurava um local adequado para montar um escritório. O piloto parecia eufórico – era a primeira vez que deixava o Brasil desde sua chegada em 1946 –, mas mantinha-se alerta e mostrou ao agente a pistola Browning que carregava. Na época, anterior aos sequestros aéreos, passageiros não eram revistados ao embarcar. Uma noite, os dois jantavam num restaurante e Cukurs subitamente dirigiu-se ao garçom em ídiche, a língua dos judeus do Leste Europeu: "Redest du a bisslell Yidish?" (Você fala um pouco de ídiche?), perguntou. O garçom deu de ombros diante da frase incompreensível e Kuenzle, supondo que o desconfiado Cukurs queria testar sua reação, permaneceu impassível, como se tampouco a tivesse entendido.

O piloto já o filmara numa descida no aeroporto de São Paulo e avisara a mulher que se algo lhe sucedesse o culpado seria aquele senhor calvo, barriguinha saliente, abanando as mãos na frente do rosto como se quisesse evitar a câmera.

Quando Cukurs voltou a São Paulo, Kuenzle seguiu para a Europa, a última etapa antes do golpe final. Haviam visitado várias casas, nenhuma aprovada para o escritório, e seria fácil, no regresso a Montevidéu em fevereiro, levar o Defunto a mais uma, e, uma vez ali dentro, submetê-lo ao "julgamento" e à execução.

Kuenzle viajou em janeiro à Argentina e de lá escreveu a Cukurs sobre projetos futuros, reforçando seu papel de empresário em atividade. Não podia correr o risco de que o outro suspeitasse dele na última hora e desistisse da viagem. Em 5 de fevereiro, enviou um telegrama a Paris: "Negociações terminaram, transação vai ser realizada. Solicito envio urgente equipe especialistas para completar transação com sucesso." Mais cinco dias e desembarcou em Montevidéu, onde se hospedou no luxuoso Victoria Plaza Hotel.

Ao mesmo tempo, chegava ao Hotel Nogaró o agente que usava o nome de Oswald Heinz Taussig, com passaporte austríaco. Taussig, um perito em operações clandestinas, tinha sido do Irgun, organização paramilitar israelense que combatera os britânicos entre 1931 e 1948, e tinha razões pessoais para liquidar o letão. Sua mãe e sua avó haviam nascido em Riga, onde a maior parte da família fora executada pelos nazistas.

Kuenzle e Taussig alugaram um Volkswagen preto e se puseram à procura da casa onde Cukurs seria morto. No meio das férias de verão, com poucos imóveis em oferta, optaram por uma casa pequena, chamada Casa Cubertini, na rua Cartagena, bairro de Carrasco, a meia quadra da praia. Um jardim a separava da rua, o que era útil aos propósitos do grupo, ainda que a trinta metros de distância houvesse um problema potencial, uma residência em obras.

Taussig negociou com a imobiliária o aluguel por dois meses e nos dias seguintes mais três agentes israelenses se uniram a ele e a Kuenzle em Montevidéu. Todos meticulosos, todos bem treinados. As janelas da casa foram vedadas, para que sons não fossem ouvidos do lado de fora, e outras providências foram tomadas. Uma tarde, Taussig desceu do Volkswagen à frente de um táxi do qual dois carregadores retiraram um caixote grande. "Até que enfim temos uma geladeira", falou, em tom de brincadeira, para um dos operários da obra ao lado. Era o baú de madeira amarelo, com alças de couro e três fechaduras, onde seria colocado o Defunto. Mais tarde, durante a investigação do caso, o vendedor da tradicional Casa Schiavo, de Montevidéu, contou que o comprador do baú entrara na loja munido de fita métrica e medira vários produtos até encontrar um com a largura, a profundidade e o comprimento desejados.

Cukurs se registrou no Victoria Plaza, quarto 1719, espaçoso e com ampla vista da plácida cidade – cortesia de Kuenzle. A intenção do israelense era indicar que uma nova vida, condizente com o antigo status, esperava o piloto. Ele subiu, deixou a bagagem e voltou depressa. Kuenzle o esperava no Volkswagen. Seguiram até o escritório da Lufthansa, ali perto, e o agente reservou lugares para eles em voo para Santiago do Chile, reforçando a impressão de normalidade. Repetiu a Cukurs que a empresa, em fase de expansão, não podia continuar mal instalada num escritório temporário e por isso ele iria ver mais casas para alugar, em companhia de um corretor. Convidou Cukurs a acompanhá-los, não iam demorar.

Visitados dois imóveis com o corretor, despediram-se dele e rumaram para Carrasco. Moças e rapazes voltavam da praia, as barracas abertas para proteger-se do sol a pino. Pararam num posto de gasolina, observados por pessoal de apoio uruguaio em outros dois carros Volkswagen, um vermelho e um verde. Há quem diga que dessa retaguarda fazia parte Hector Amodio Pérez, então dirigente do Movimento de Liberação Nacional Tupamaros. O automóvel preto estacionou na rua Cartagena na hora do almoço.

Até o último instante Kuenzle temeu que Cukurs se recusasse a entrar no suposto escritório. "Ao chegarmos à casa, desliguei o motor, tirei a chave e saí do carro sem olhar para trás. Ao caminhar os últimos metros até a porta, pensei que era o momento da verdade. Com o rabo do olho, vi Cukurs saindo do carro", conta Kuenzle.

O piloto entrou atrás dele e, com as janelas da sala vedadas, levou uma fração de segundo para se habituar à semiescuridão. Ao dar um passo para dentro, foi cercado por quatro homens e quis recuar. Tarde demais. Tentou sem sucesso pegar sua arma, uma Beretta 6.35 mm, modelo 950; golpeado por todos os lados, "lutou como um animal selvagem e ferido", na descrição de Kuenzle. *Lässt mich sprechen*, me deixem falar, gritou em alemão enquanto agarrava a maçaneta da porta com tanta força que ela arrebentou. Deu uma mordida tão forte num dos agentes que enfiara a mão em sua boca para silenciá-lo, que mais um pouco lhe arrancava o dedo. Se havia intenção de realizar um "julgamento", este foi cancelado. Um dos homens bateu na cabeça de Cukurs com um martelo, o que espalhou miolos para todos os lados. Seguiram-se dois tiros disparados por uma arma com silencioso, também na cabeça.

Era pouco mais de meio-dia e meia, e se ouvia o ruído das ondas.

O corpo, com as pernas dobradas e coberto por um lençol, foi arrastado para o quarto e colocado no baú. Sobre ele, os agentes depositaram o martelo, a arma de Cukurs e seu registro, o passaporte, um brevê de piloto do Aeroclube do Brasil e cartões de visita onde se lia "Construções náuticas e aeronáuticas Herberts & Filhos Ltda. Santo Amaro, São Paulo". Também uma nota em inglês, que Kuenzle garante ter sido preparada com antecedência:

"VEREDITO

Levando em conta a gravidade dos crimes do acusado, especialmente sua responsabilidade pessoal no assassinato de mais de 30 mil homens, mulheres e crianças, e considerando a extrema crueldade que HERBERTS CUKURS demonstrou ao cometer seus crimes, nós condenamos o mencionado CUKURS à morte. Ele foi executado em 23 de fevereiro de 1965 por Aqueles que Nunca Esquecerão."

Gunnars, o filho mais velho, contaria, em depoimento após a morte do pai, que por ocasião da depredação dos pedalinhos no Rio, um grupo de militares solidários visitara Cukurs e um deles, um general, lhe dissera que tinha cometido um único erro: "Você devia ter matado todos os judeus."

6.

Não havia tempo a perder. Os israelenses deixaram o Uruguai no mesmo dia, em voos separados para Buenos Aires. Também saíram imediatamente do país – de Punta del Este, onde passavam férias num chalé à beira-mar – a mulher e dois filhos de Menahem Barbash, alocado na Embaixada como funcionário do Departamento de Comércio israelense e que a polícia uruguaia apontou como implicado no caso.

A salvo na Europa, um dos israelenses telefonou para as agências de notícias Associated Press e Reuters, em Frankfurt, para informar que um nazista havia sido morto em Montevidéu pelo grupo Aqueles que Nunca Esquecerão. Quem atendeu deve ter pensado que era trote. Depois de alguns dias aguardando inutilmente a publicação da notícia, o grupo escreveu para as agências, além de telefonar novamente e fornecer detalhes, inclusive o endereço da casa onde estava o corpo. Diante da insistência a Associated Press enviou um telegrama ao seu escritório em Montevidéu, pedindo que a polícia uruguaia fosse avisada.

O que a polícia encontrou nada tinha que lembrasse um trote.

Quando o comissário Alejandro Otero, diretor do Departamento de Inteligencia y Enlace do Ministério do Interior, recebeu a informação sobre um cadáver nazista em Carrasco, seu primeiro impulso foi ignorá-la. Passava do meio-dia de sábado, 7 de março de 1965, e Otero, que além de policial era um juiz de futebol popular no Uruguai, preparava-se para os jogos do fim de semana. Saiu mal-humorado no velho carro da delegacia, em companhia de dois policiais e dois jornalistas.

Ao se aproximarem da casa trancada, o cheiro indicou que a pista podia ser verdadeira. Os policiais arrombaram uma janela e entraram, cobrindo a boca com lenços. No chão e nas paredes, manchas de sangue. Trilhas de sangue levavam ao quarto onde estava o baú. O comissário levantou a tampa e correu para vomitar no jardim. Sobre o corpo em decomposição (em estado tão adiantado que não poderia ser autopsiado) estavam os documentos e o bilhete.

A notícia correu mundo. Nos dias seguintes, sem pistas e criticada pela imprensa, a seção de homicídios da polícia de Montevidéu prendeu (e soltou em 48 horas) o corretor de imóveis que intermediara o aluguel da casa e chegou a anunciar como suspeitos os franceses da Maison Jean Patou, que haviam chegado à cidade no voo de Cukurs.

A imagem de Kuenzle foi a única que apareceu nos jornais sobre a legenda "o assassino de Cukurs", depois que Otero viajou a São Paulo e obteve com a viúva o filme em que o agente acenava para a câmera. Apesar da repercussão, e da solicitação uruguaia, a Interpol não interferiu, sob a alegação de que se tratava de um caso político. As autoridades brasileiras também se recusaram a participar da investigação: o crime não fora cometido no nosso território e nada havia a declarar sobre a situação do estrangeiro que vivera sob a proteção da polícia política paulista os últimos dos seus 19 anos.

Otero verificou nos hotéis de Montevidéu os registros dos envolvidos – só um com a verdadeira identidade: Herberts Cukurs. O comissário, que nos anos seguintes se destacaria na repressão à guerrilha tupamara, anunciou então – baseado em indícios como a existência de buracos na frente e nos lados do baú – o que repete até hoje: o objetivo era sequestrar o piloto letão para posterior julgamento em Israel, o que só não ocorreu devido à sua resistência. A presença de um cargueiro israelense na costa de Montevidéu, no dia da morte, confirmaria a hipótese.

Na semana seguinte à descoberta do cadáver, numa demonstração antinazista em Tel Aviv, manifestantes carregavam cartazes com a frase "Nunca esqueceremos". Em Israel, contudo, ninguém admitiu conhecer um grupo chamado Aqueles que Nunca Esquecerão. A diplomacia israelense entrou rapidamente em ação para contornar um possível incidente com o Uruguai, que poderia protestar contra a ação armada de estrangeiros em seu solo. A polícia uruguaia anunciou que fora um equívoco atribuir a um funcionário israelense envolvimento no caso e o embaixador de Israel afirmou, em nota oficial, que "não aconteceu nada e as relações entre ambos os países seguem sendo cordiais".

Como "não aconteceu nada" e as autoridades israelenses não comentam ações do Mossad, o mistério se mantém. A versão "oficial", publicada no livro *The Execution of the Hangman of Riga: The Only Execution of a Nazi War Criminal by the Mossad*, continua sendo a de que Israel pretendia não só justiçar um criminoso, mas impedir que entrasse em vigor na Alemanha, vinte anos após a vitória dos Aliados na Segunda Guerra, o Estatuto de Limitações, que interromperia o julgamento dos responsáveis pelo Holocausto. Após a morte de Cukurs, os alemães revogaram o Estatuto e os crimes nazistas contra a humanidade foram considerados imprescritíveis.

Por que um piloto experiente, sempre de arma na cintura, se deixou atrair para a armadilha que o matou? Diz-se que até o mais prudente dos homens abaixa a guarda em dias de sonho; e sabe-se lá o que Herberts Cukurs vislumbrava ao partir para a sua última viagem. Talvez (herói solitário) sonhasse com a jornada à África e ao Japão. Talvez (herói ousado) com o voo no C-1 sob a ponte de Karosta, que ganhou o apelido de "ponte de Cukurs", o avião e o vão da ponte de envergadura quase iguais. Ou (herói em retirada) quem sabe sonhasse com a luminosa manhã em que pisou, ao lado de sobreviventes do Holocausto, em solo brasileiro?

Hipóteses diferentes existem, nenhuma delas capaz de fechar o quebra-cabeça. Há quem diga que a morte de Cukurs foi decidida pelo Mossad ao fracassar uma negociação para que ele, em troca de proteção, denunciasse os esconderijos de nazistas como Josef Mengele e Martin Bormann, que transportara no Brasil. Outra versão, divulgada na época pela Federação Israelita do Rio de Janeiro, afirmava que hierarcas nazistas ordenaram uma queima de arquivo por temerem que o piloto estivesse prestes a delatá-los.

7

Véspera do retorno ao Brasil, João Afonso entrou no quarto abanando um jornal. Os judeus acertaram contas com um nazista, mataram o homem a pauladas e deixaram o corpo num baú em Montevidéu! E adivinha quem era? Aquele que explorava os pedalinhos na Lagoa! O piloto do hidroavião de Santos, disse enquanto arrancava a camisa, pronto para a banheira de espuma. Venha, querida, a água está morna, a vida merece ser celebrada.

Há contas que não se acertam, pensou Frida, a náusea subindo-lhe pelo peito. Celebrar? Talvez estivesse na hora, sentia-se vingada. Entrou na banheira com as pernas bambas, acompanhada do pai e do tio fuzilados num campo de neve na Letônia: sobreviventes não flutuam, jamais perdoam. Pena não ter Clara por perto, Clara a única com quem compartilhara a história – imaginação, realidade? – das tardes mornas na Lagoa, a única que poderia ampará-la se cedesse à vertigem.

Em vez de vertigem, lavanda. Coberta de perfume, espanando os espectros, passou a tarde no melhor salão de beleza de Punta; saiu de lá mais loura, a pele do rosto tonificada, as unhas vermelhas. Luminosa, *guapa, señora*, ouviu do cabeleireiro, e deu um salto. Estava distraída, senhor, desculpe, me assustei, não quero acreditar em tudo o que dizem, ele nunca foi julgado por um tribunal. De quem a *señora* fala? Do nazista que mataram em Montevidéu?

O nazista: os tios teriam aplaudido a punição sumária, o corpo dilacerado, ponderou ao caminhar de volta ao hotel. Os jornais locais e argentinos (comprou todos) estendiam-se em hipóteses (por que a execução em Montevidéu e não em São Paulo?) e criticavam a polícia local. Informavam que a família atribuíra a execução a agentes soviéticos que pretendiam vingar a atividade anticomunista de Cukurs durante a Segunda Guerra.

Sentou-se à beira da piscina, pediu um gim-tônica. Anoitecer de verão no sul do hemisfério, o dia se prolongava a um ponto próximo do insuportável, a claridade teimando em vencer a escuridão. Não, essas notícias eu não recorto, murmurou antes de pegar a tesourinha na bolsa.

8.

No antigo porto russo de Karosta, ao sul de Liepāja, onde Cukurs nasceu em 17 de maio de 1900, um grupo de letões inaugurou em junho de 2005, no prédio de um coletivo de artistas e com o apoio do cineasta sueco Carl Biorsmark, que fizera um documentário sobre ele, uma exposição de título provocador: "Herberts Cukurs – Presunção de Inocência." Eram três salas: uma com fotos das suas viagens aéreas, outra com testemunhos favoráveis e contrários a ele, e a terceira com apenas três fotografias ampliadas, a de Cukurs justaposta à de Anton Kuenzle, e a outra com seu cadáver destroçado.

A exposição se seguiu à impressão pela direitista União da Força Nacional de envelopes postais com a efígie de Cukurs e a inscrição "Herói nacional do povo da Letônia – piloto Herberts Cukurs". Ambas produziram uma avalanche de críticas e foram qualificadas pelas lideranças judaicas europeias como tentativa de "reabilitar a imagem de um criminoso de guerra e insinuar que os judeus tinham matado um herói nacional".

Na ocasião, os fantasmas do passado também foram revirados diante da reação do deputado Aleksanders Kirsteins, presidente da Comissão de Assuntos Exteriores do Parlamento da Letônia, que advertiu os judeus a "não repetirem seu comportamento pérfido de 1940, quando deram as boas-vindas aos inimigos do povo letão". Aliás, advertiu Kirsteins, a comunidade judaica devia se livrar dos antigos agentes da KGB que ainda havia em seu meio.

A advertência do deputado causou indignação na Europa e em Israel, cujo Ministério do Exterior considerou de "extrema gravidade tal linguagem ameaçadora". O deputado foi expulso do seu partido, o ultranacionalista e direitista Partido do Povo, mas manteve o cargo no Parlamento.

Em abril de 2011, uma proposta para enterrar os restos mortais de Cukurs no Cemitério dos Irmãos, em Riga, onde se encontram as sepulturas dos heróis da Letônia, foi repudiada pelo Centro Simon Wiesenthal. Diretor do Centro em Israel, o historiador Efraim Zuroff afirmou que o fato de Cukurs jamais ter sido processado não constituía prova de sua inocência e denunciou a possível homenagem como "uma injúria imperdoável à memória de todas as vítimas do Holocausto e um insulto aos letões dotados de sentimentos de honestidade e moralidade".

Nota oficial do Ministério de Relações Exteriores da Letônia

O Ministro de Relações Exteriores da Letônia, Artis Pabriks, condenou a impressão de envelopes postais dedicados a Herberts Cukurs. De acordo com o Sr. Pabriks, aqueles que lançaram os envelopes certamente não compreendem a trágica história da Segunda Guerra Mundial na Letônia ou na Europa.

É importante reconhecer que Herberts Cukurs não foi simplesmente um hábil piloto. Ele também foi culpado de crimes de guerra: durante a Segunda Guerra Mundial, participou das atividades do conhecido Comando Arajs, que teve participação no Holocausto e foi responsável pela morte de civis inocentes. A Procuradoria-Geral da Letônia recusou por duas vezes as solicitações para reabilitar a memória de Herberts Cukurs.

Em 29.09.2004.

COMUNICADO

Yad Vashem condena a distribuição de envelope postal
em homenagem a Herberts Cukurs

Herberts Cukurs, um célebre piloto letão, foi também um brutal criminoso de guerra. Na invasão da Letônia em junho de 1941, ele participou como voluntário entusiasmado da campanha nazista contra os judeus. Cukurs uniu-se àqueles que mataram os judeus de maneira massiva e sistemática. Entre outros crimes, no final de 1941 participou pessoalmente das operações de assassinato no gueto de Riga e na vizinha Rumbula, onde homens, mulheres, crianças e bebês judeus foram assassinados de maneira indiscriminada.

O Yad Vashem condena a tentativa de reabilitar a imagem de Cukurs na Letônia, empreendida por uma minoria inclinada a encobrir a verdade histórica. O Yad Vashem aprova os esforços do governo letão de extirpar esse tipo de revisionismo histórico e glorificação de assassinos.

Em 28.10.2004.

9

Seu avô, o abusado. Até na morte, intempestivo. Você teria gostado dele. Três anos após o último verão de Clara e do Aviador, foi sua vez de deixar a cena. Em meio às coroas de flores, os cunhados me olhavam como se eu devesse saber algo que não se atreviam a expressar. Infarto do miocárdio, fulminante! João Afonso saiu do elevador num prédio antigo no Centro, depois do almoço, e caiu na portaria. Uma ambulância foi chamada, e em companhia de uma senhora ruiva gordinha que torcia as mãos e chorava descontrolada, me contaram, chegou morto ao hospital.

De negro da cabeça aos pés, com exceção das pérolas, óculos escuros sobre olhos secos, participei do velório como uma atriz coadjuvante de repente alçada ao papel principal – meu lugar está guardado ao lado dele, eu dizia, levando à ponta do nariz o lencinho bordado. Tão jovem ainda, tanto a realizar! Era o que esperavam ouvir. Só as gêmeas não se enganavam, intuíam o que eu não sentia por aquele pai querido.

Você se lembra, Brígida, de um Natal em que assistimos ao *Quebra-nozes* no Lincoln Center? Só nós duas, sua mãe tinha um encontro com amigas. Nova York brilhava. A fachada iluminada do teatro, a fonte exalando fumaça por causa do ar gelado, a grande árvore enfeitada por instrumentos e notas musicais. Estavam todos muito bem-vestidos, eu com um casaco cinza de pele de raposa, e você me perguntou: "Por que as pessoas se arrumam para sentar no escuro?" Ficou tão maravilhada com o balé que agarrou meu braço e o cobriu de beijos. Ser avó é muito divertido. Só alegria, nenhuma responsabilidade.

Ser viúva também é divertido. Só liberdade. Qual excesso seu avô cometeu antes de morrer, não importa. Abusado, feliz, generoso, dono do seu mundo até o último instante. Não pretendo passar a eternidade ao lado dele num mausoléu de mármore negro ao pé do morro em Botafogo. É um favor que rogo, *meine lieber*. Siga à risca o testamento e espalhe minhas cinzas num lago em Berlim, junto aos cisnes.

NOTA DA AUTORA

Os fatos têm o hábito de desafiar o senso comum, e a realidade pode ser mais espantosa do que a imaginação – foi o que confirmei ao escrever este romance, mescla de ficção e história, inspirado pelas múltiplas facetas e contradições do caso Cukurs, como ficaram conhecidos os protestos que resultaram na expulsão da Lagoa Rodrigo de Freitas do homem dos pedalinhos, acusado de colaborar com os nazistas na Segunda Guerra.

As personagens femininas são fictícias, mas baseadas em mulheres que conheci, e se debatem entre questões que envolvem paixão, renúncia e identidade, sobre o pano de fundo da Segunda Guerra e da ideologicamente polarizada sociedade brasileira dos anos 1950 e 1960.

Sobre a chegada e o estabelecimento de Herberts Cukurs no Brasil, analisei documentos como o processo N. 29.996/50 (Arquivo Nacional) e a imprensa da época (na Biblioteca Nacional), além de periódicos da comunidade judaica (*Aonde Vamos*, *Nossa Voz* e *O Espelho*). Foi a parte prazerosa da pesquisa. Sofrido foi o mergulho nos arquivos que mostram em minúcias a extensão e a crueldade da operação da máquina nazista na Europa. São informações disponíveis, entre outros, em sites como http://www.yadvashem.org; http://www.holocaustresearchproject.org/ghettos; http://www.nizkor.org/hweb/people; e http://www.rumbula.org (este, sobre o Holocausto na Letônia).

Alguns livros foram essenciais, por motivos diferentes, para a reflexão que levou à escrita. Em *Los judíos, la memoria y el presente* (Fondo de Cultura Económica de Argentina, 1996), Pierre Vidal-Naquet ressalta o imperativo de transmitir e explica a dimensão política da memória. Entre outros textos, menciono *Perpetrators,*

Victims, Bystanders: The Jewish Catastrophe, 1933-1945 (HarperCollins Publishers, 1992), de Raul Hilberg, e *Eichmann em Jerusalém – Um relato sobre a banalidade do mal* (Companhia das Letras, 2000), de Hannah Arendt. Entendi melhor o trauma dos sobreviventes do Holocausto graças à psicanalista brasileira Marylink Kupferberg, autora do ensaio *Zonas de silêncio e segredo familiar: a transmissão interrompida* (in *Memória e cinzas*, Perspectiva, 2009).

Agradeço ao Museu Judaico do Rio de Janeiro, que editou meu texto "Judeus da Leopoldina" e cujo variado acervo utilizei. Obrigada, Max Nahmias e demais membros da diretoria.

Sou grata às primeiras leitoras dos originais, Clélia Argolo Estill e Cleusa Maria, pelas críticas úteis e precisas. Às companheiras do Grupo das Segundas, meu muitíssimo obrigada pelas discussões filosóficas regadas a café e biscoitos.

O agradecimento maior vai para as competentes editoras Vivian Wyler e Rosana Caiado, cujo entusiasmo e empenho foram capazes de dar foco ao livro.

Por último, porém muito mais importante, toda a gratidão à minha amorosa e querida família – marido, filhos, netos, nora e genros – por serem quem são.

Copyright © 2014 *by* Heliete Vaitsman

Direitos desta edição reservados à
EDITORA ROCCO LTDA.
Av. Presidente Wilson, 231 – 8º andar
20030-021 – Rio de Janeiro, RJ
Tel.: (21) 3525-2000 – Fax: (21) 3525-2001
rocco@rocco.com.br | www.rocco.com.br

Printed in Brazil/Impresso no Brasil

Preparação de originais: Rosana Caiado

CIP-Brasil. Catalogação na fonte.
Sindicato Nacional dos Editores de Livros, RJ.

V215c   Vaitsman, Heliete, 1947-
            O cisne e o aviador / Heliete Vaitsman. – 1. ed.
        – Rio de Janeiro: Rocco, 2014.
            ISBN 978-85-325-2878-0
            1. Romance brasileiro. I. Título.

13-05967   CDD–869.98
                                  CDU–821.134.3(81)-8

Este livro foi impresso na Intergraf Ind. Gráfica Eireli
Rua André Rosa Coppini, 90 - São Bernardo do Campo - SP
para a Editora Rocco Ltda.